CW00739999

Poets' Graves
Beddau'r Beirdd

Poets' Graves
Beddau'r Beirdd

Paul White Images Delweddau

Damian Walford Davies English text Testun Saesneg

Mererid Hopwood Welsh text Testun Cymraeg

Gomer

Published in 2014 by Gomer Press, Llandysul, Ceredigion SA44 4JL

www.gomer.co.uk

ISBN 978 1 84851 739 4

A CIP record for this title is available from the British Library

Book and jacket design: A1 Design, Cardiff

This book is published with the financial support of the Welsh Books Council.

Printed and bound in Wales at
Gomer Press, Llandysul, Ceredigion SA44 4JL

Cyhoeddwyd yn 2014 gan Wasg Gomer, Llandysul, Ceredigion SA44 4JL

www.gomer.co.uk

ISBN 978 1 84851 739 4

Mae cofnod CIP o'r llyfr hwn ar gael gan y Llyfrgell Brydeinig

Dylunio'r llyfr a'r siaced: A1 Design, Caerdydd

Dymuna'r cyhoeddwyr gydnabod cymorth ariannol Cyngor Llyfrau Cymru.

Argraffwyd a rhwymwyd yng
Ngwasg Gomer, Llandysul, Ceredigion SA44 4JL

(PW) To Smaranda, for searching out all those faded names on gravestones, and for carrying the tripod
I Smaranda, am chwilio am yr holl enwau treuliedig ar y cerrig beddau, ac am gario'r treipod

(DWD) In memory of Nigel Jenkins Er cof am Nigel Jenkins

(MH) I'm ffrind annwyl, Ann To my dear friend, Ann

Contents Cynnwys

Introduction Writing/Imaging the Grave

Early on, poetry mapped the sepulchral topography of Wales, and did so in a voice that can be heard as a spectral descant in this book. Dating from the ninth or tenth century, 'Englynion y Beddau' (The Stanzas of the Graves) is a collection of briefly plotted but hauntingly evoked grave coordinates. These thin-lipped utterances testify to our fear of lying nameless and unmarked. They also emphasise that the grave is the focus of multiple histories and that we gravitate to the graveplot (as mourners, devotees, and historians) hoping to find it 'readable'. They represent a cartographic riff, a gazetteer that traverses uplands, lowlands, the littoral, river valleys, great plains, ridges, islands and marshes to locate the famous (overwhelmingly male, and martial) dead. Audible here is the voice of the tribe's geographers; but we catch too the tones of an individual for whom the gravesite is a puzzle to be solved:

Piev y bet hun, a hun?	Whose is this grave, and this?
Gowin ymi, mi ae gun.	Ask me; I know it.
...	...
Piev y bet pedrival	Whose is the four-sided grave
ae pedwar mein am y tal?	with its four stones at the head?
Bet Madauc marchauc dywal.	The grave of Madawg, savage horseman.

The stanzas are themselves epitaphs and have the force of ultra-compressed elegies. In one of the *englynion*, however, the gravesite resists naming and identification: the history of 'The long graves in Gwanas' cannot be recovered, and so these plots remain unfixed, ambiguous spaces – ground that defies imaginative excavation. Vortigern's grave is classed as 'doubtful' space. These memorialising verses are also acts of landscape interpretation, since it is likely they were in part motivated by the need to make sense of ancient burial sites (cromlechs, standing stones) whose cultural significance had been lost.

And so 'The Stanzas of the Graves' wrestle with the *locus mortis* – the death-site – conducting their survey in the knowledge that the grave can resist the meanings the living impose on it.

The three authors of *Poets' Graves/Beddau'r Beirdd* inherit from the early medieval voices, heard above, the challenge of approaching the gravesite as interrogators. The project gains a testing layeredness from the fact that the graves written and imaged in this book are those of poets. Between us and 'The Stanzas of the Graves' lies a tradition of meditative elegy that calcified into eighteenth-century English graveyard poetry (with Welsh-language imitators and innovators). This gave way to the gothic that in turn became the neo-gothic that saturates contemporary popular culture in ways both invigorating and moribund. Tony Harrison's *V* (1985) brutally exhumed the English tradition for the Thatcher years. The twenty-first-century graveyard poetry of the present volume flirts with these genres, carving out a new Wales-based practice that is hyper-aware of what it inherits, and what it inflects.

Poets' resting places demand particularly self-conscious negotiations with the dead since the act of writing is itself an ironic commentary on the departed who can no longer speak out. The poet's grave marks the place where the physical *corpus* and the literary *corpus* achieve a frightening separation. When does speaking of, or to, the deceased poet around the gravesite become a ghostly act of ventriloquisation, or possession (in all senses)? Our own stanzas of the graves – located in deliberately unfixed space between prose and verse, sepulchrally quadrilateral on the page – are meditations on the *problem* of writing the poet's grave (in two of the languages of Wales). They deploy irony and play as necessary tools in that delicate venture.

A watercolour illustration (1797–8) of a section of Thomas Gray's classic 'Elegy Written in a Country Churchyard' (1750) by the artist-poet William Blake captures some of the ironies and paradoxes of our own visual-textual enterprise. Blake's image shows a female figure in a long, light-blue garment standing alongside two tombstones – one upright and inscribed, the other listing and blank. To the right is a more elaborate tomb. In the figure's left hand is a small lyre (the instrument that gives definition to 'lyric' poetry). The index finger of her right hand is outlining the first line of the inscription on the upright stone: 'DUST THOU ART'. The rest of the epitaph runs: 'HERE LIETH / WM BLAKE / AGED 100'. The image accompanies four stanzas – literally cut out of a printed, letterpress edition – from Gray's poem (beginning with the famous 'Far from the madding crowd's ignoble strife'), in which the poet meditates on the 'noiseless tenor' of rustic life that achieves at least some memorial in the simple inscriptions and 'uncouth rhymes' of the 'unlettered muse'. By inscribing his own name on the tombstone, Blake the poet-engraver announces his own death, en*graves* himself as one of Gray's obscure rustics – a comment, perhaps, on his own relative obscurity in the fashionable metropolitan mainstream at the close of the eighteenth century. Inscribed here also is the fear of literary and artistic anonymity. Most strikingly, Blake's self-burial teases us with the sheer *layeredness* of grave writing: Blake writes himself into his fellow-poet's work by writing himself onto the gravestone and into the grave. The dynamic between the image and its multiple texts asks us to consider the extent to which all writing is in some sense epitaphic, accomplishing the work of memorialisation, battling anonymity. The lyre and finger are significant. The former is not the unstrung lyre that features on funeral monuments, but a taut instrument, ready to accompany a living voice. And the finger, deep in the lapidary writing on the grave, signals touch and contact, not merely a nostalgic 'tracing'.

In offering this new gazetteer of literary graves, the authors agree with Blake's contemporary, William Godwin, that 'the place of [the poet's] burial' is 'a part of his biography'. Mererid Hopwood's responses (in Welsh) and my own (in English) to Paul White's images make the gravespace a focal point for an exploration of how dead poets continue to circulate in culture – just as they do, post-mortem, in the economy of the soil. The dialogue between each pair of texts amplifies the gravesite's layeredness, generating currents of counter-feeling, dislocating double perspectives. Paul White's aesthetic lies in uncanny territory between the documentary and the artistic. Similarly, our literary responses approach the poet's grave in a variety of different voices in order to unsettle conventional ways of memorialising and recalling the dead. *Epi* means 'on' (or 'around', 'near', and 'above'); *taphos* is 'tomb'. So the literary texts in the present volume can be seen as curiously *doubled* epitaphs – written (or spoken) palimpsestically on or around or near an existing epitaph or other inscription. Graffiti. Grave graphics.

In the sense that these pieces hail the dead, there is a resurrectionary aspect to the writing. We chafe against the closure commonly signalled by the grave and epitaph. The pieces mourn, too, of course; but such mourning is not always for the plain fact (or grand narrative) of a poet's decease, which is the traditional business of elegy. Reading a plotful of eulogising epitaphs, one might be forgiven for asking, as Wordsworth did, 'Where are all the *bad* people buried?' And so this book demythologises – cuts through – the complimentary pieties of texts graven on graves. Indeed, it amounts to a revisionist literary history and biography, a necrological literary criticism.

'The Stanzas of the Graves' embedded Welsh gravewriting from the start in the interrogative mood. Questions abound in our own texts, challenging the gravesite-as-quandary to give up its secrets. We ask: what discourses befit the graveyard? To what extent is laughter, even cynicism, appropriate at the lip of the grave? When language puns, does it become *anti*-epitaphic? Theorising the epitaph, Wordsworth insisted on what he called a 'criterion of sincerity', calling for it to be bolstered by an 'under current', a 'skeleton or stamina' of 'thought and feeling'. 'Skeleton' is a haunting choice of term; it seems to sit uneasily alongside 'stamina', until we realise that the root of that word is *stamen*, 'the warp in the upright loom of the ancients', 'the thread spun by the Fates at a person's birth'. Further: can the Welsh dead be summoned bilingually? Is the female gravesite to be written differently from that of the male? Our psychogeographies of the graveyard move beyond the frame of the images to include the graveplot's wider 'scapes' – the accompanying monument, the graveyard as a whole, wider panoramas, national and international coordinates, and of course the journey to the grave. Our responses also confront our personae as literary tourists, conscious of the tension between pilgrimage and recreation.

The resulting texts are (ironically) *life*-writing, portions of the (living) authors' autobiographies, delivered humbly (even at their most oppositional and speculative) and with an acute awareness of the inevitability of that traditional tombstone warning: *As I am now, so will you be*. Then again, as Scott Newstok rightly reminds us, 'After all is said and done, writing about death is always for the living'.

Damian Walford Davies

Rhagarweiniad Y Bedd – Delweddu ac Arsygrifennu

Yn gynnar, mapiodd barddoniaeth dopograffeg feddrodol Cymru, gan wneud hynny mewn llais y gellir ei glywed fel desgant rhithiol yn y gyfrol hon. Yn 'Englynion y Beddau', sy'n dyddio o'r nawfed neu'r ddegfed ganrif, cawn gasgliad o gyfesurynnau angladdol – datganiadau cryno, atseiniol sy'n tystio i ofn cynhenid gorwedd yn ddienw a digofnod. Pwysleisiant hefyd fod y bedd yn ffocws i hanesion lluosog, a'n bod yn ymweld â'r bedd (yn alarwyr, dilynwyr a haneswyr) gan ddisgwyl iddo fod mewn rhyw fodd yn 'ddarllenadwy'. Cynrychiola'r englynion fynegai cartograffig sy'n rhychwantu ucheldir, dyffrynnoedd, yr arfordir, gwastadeddau, cribau, ynysoedd a chorsdir er mwyn nodi man claddu'r meirw enwog (y mwyafrif llethol ohonynt yn ddynion, ac yn rhyfelwyr). Ymglywn yn y cerddi hyn â llais daearyddwyr y llwyth; ond clywn hefyd donau unigolyn sy'n ystyried safle'r bedd yn ddirgelwch i'w ddatrys:

Piev y bet hun, a hun?	Pwy biau'r bedd hwn, a hwn?
Gowin ymi, mi ae gun.	Gofyn imi; fe wn i.
...	...
Piev y bet pedrival	Pwy biau'r bedd petryal
ae pedwar mein am y tal?	Â'i bedwar maen ar ei dalcen?
Bet Madauc marchauc dywal.	Bedd Madawg, marchog ffyrnig.

Beddargraffiadau ac iddynt rym marwnadau cywasgedig yw'r cerddi hyn. Mewn un o'r englynion, serch hynny, mae'r bedd yn llwyr wrthsefyll y weithred o enwi ac adnabod: ni ellir olrhain hanes 'Y beddau hir yng Ngwanas', ac felly erys y safleoedd yn amwys ac ansefydlog – tir nad yw'r dychymyg yn medru ei dyrchu. Disgrifir man claddu honedig Gwrtheyrn fel y beddrod 'y mae pawb yn ei amau'. Yn rhannol, ffrwyth yr angen i ddehongli presenoldebau rhyfedd y cromlechi a'r meini hirion – yr aeth eu hystyr ddiwylliannol yn angof – yw 'Englynion y Beddau'. Ac felly ymgodyma barddoniaeth â'r *locus mortis* – mangre marwolaeth – gan wybod y gall y bedd wrthod dadlennu ei gyfrinachau a gwrthod yr ystyron y mynna'r byw eu gosod arno.

O'r lleisiau hen hyn, etifedda tri awdur *Poets' Graves/Beddau'r Beirdd* y sialens o ddynesu at y bedd mewn modd *ymholgar*. Rhydd y ffaith mai beddau *beirdd* a geir yn y gyfrol haen heriol i'r prosiect. Rhyngom ac 'Englynion y Beddau' ceir traddodiad 'barddoniaeth y fynwent' (a'i haddasiadau Cymraeg) a gysylltir yn bennaf â'r ddeunawfed ganrif. Ildiodd hwnnw i'r gothig, ac i'r neo-gothig sy'n gymaint rhan o ddiwylliant poblogaidd y presennol. Yn *V* (1985), atgyfododd Tony Harrison y traddodiad Saesneg yn rymus echblyg ar gyfer blynyddoedd Thatcher. Amsugnodd llenyddiaeth fynwentol *Poets' Graves/Beddau'r Beirdd* y traddodiadau hyn er mwyn pennu trywyddau newydd iddynt.

Mae beddau beirdd yn mynnu ymatebion hunanymwybodol gan fod y weithred o ysgrifennu ei hun yn sylwebaeth eironig ar yr ymadawedig na all bellach siarad. Gofod yw bedd y bardd lle y mae'r *corpws* corfforol a'r *corpws* llenyddol yn ymddatod yn ddramatig. Pryd yn union y try ein siarad â'r meirw yn weithred fwganllyd, dafleisiol? Myfyrdodau yw ein 'henglynion' angladdol ni – sydd wedi'u lleoli yn y tir ansad hwnnw rhwng barddoniaeth a rhyddiaith, yn betryalau beddrodol ar y tudalen – ar y *broblem* o archwilio bedd y bardd (mewn dwy o ieithoedd Cymru). Defnyddiwn eironi fel offer angenrheidiol yn y fenter sensitif honno.

Mae'r llun dyfrlliw (1797–8) gan y bardd a'r artist William Blake o ran o gerdd Thomas Gray, 'Elegy Written in a Country Churchyard' (1750), yn ymgorffori eironi a pharadocs ein prosiect amlgyfryngol. Dengys delwedd Blake ffigur benywaidd mewn dilledyn hir, glas golau yn sefyll ger dwy garreg fedd – un yn dalsyth ac arni arysgrif, a'r llall ar oleddf a dilythyren. Ar y dde, ceir beddrod mwy aruchel. Mae'r ffigur yn dal telyn fach neu lyra – yr offeryn a rydd i farddoniaeth 'delynegol' ei hystyr. Portreadir y ferch yn y weithred o amlinellu â'i bys linell gyntaf yr arysgrif ar un o'r cerrig beddau: 'DUST THOU ART'. Mae gweddill yr arygsgrif yn rhedeg: 'HERE LIETH / WM BLAKE / AGED 100'. Uwchben y darlun y mae pedwar pennill, wedi'u torri o gyfrol brintiedig o gerddi Gray, yn dechrau â'r llinell enwog 'Far from the madding crowd's ignoble strife'. Yn y rhan hon o'r gerdd, myfyria Gray ar 'noiseless tenor' y bywyd gwledig, syml – distadledd sydd, er hynny, yn mynnu cofnod trwy gyfrwng 'uncouth rhymes' ac 'unlettered muse' y gymdeithas. Wrth ysgythru ei enw ei hun ar y garreg fedd, cyhoedda Blake y bardd-ysgythrwr ei farwolaeth ei hun, a'i droi ei hun yn un o wladwyr anadnabyddus Gray – ffordd, efallai, o fynegi ei safle cymharol anadnabyddus ef ei hun yn myd artistig ffasiynol Llundain ei ddydd. Yn ymhlyg yn yr arysgrif yn ogystal y mae'r ofn yn wyneb anghofrwydd llenyddol ac artistig. Yn bryfoclyd, pwysleisia hunangladdedigaeth Blake effeithiau chwareus llenyddiaeth y bedd: llwydda'r bardd i'w wneud ei hun yn bresendoldeb rhithiol o hyn ymlaen yng ngherdd ei gyd-fardd, Gray. Ymhellach, mae'r ddeinameg rhwng delwedd a thestun yn gofyn inni ystyried i ba raddau y mae ysgrifennu, ym mha ffurf bynnag, yn sylfaenol epitaffig – hynny yw, yn gweithredu'n gofiannol, yn brwydro yn erbyn diddymdra. Mae'r delyn, a bys y ddynes yn ei gŵn glas, yn arwyddocaol. Nid y delyn honno sydd heb ei thannau a geir ar feini coffa mynwentydd ydyw, ond yn hytrach offeryn sionc, yn barod i gyfeilio i'r byw. A'r bys? Yn ddwfn yn yr arysgrif, mae'n dynodi cyffyrddiad a chysylltiad, nid rhyw amlinellu hiraethus yn unig.

Cytuna awduron *Poets' Graves/Beddau'r Beirdd* ag un o gyfoeswyr Blake, William Godwin, fod man claddu bardd yn 'rhan o'i fywgraffiad'. Yn ymatebion Mererid Hopwood (yn Gymraeg) a'm rhai i (yn Saesneg), canolbwynt yw'r bedd sy'n ein cymell i ystyried ym mha ffurfiau y mae'r ymadawedig yn parhau i gylchredeg yn ein diwylliant (fel yn economi'r pridd). Mae'r ddialog rhwng y testunau, a nodweddir yn aml gan gerhyntau teimladol tra gwahanol, yn amlhau'r haenau beddrodol. Lleolir estheteg Paul White yn y tir amwys hwnnw rhwng y dogfennol a'r artistig. Yn yr un modd, mae'r testunau yn mabwysiadu nifer o wahanol leisiau er mwyn aflonyddu ar gonfensiynau coffáu. Golyga *epi* 'ar' (neu 'o gwmpas', 'ger', ac 'uwch'); *taphos* yw 'bedd'. Felly beddargraffiadau *dwbl* yw testunau llenyddol y gyfrol hon – wedi'u hysgythru'n balimpsestaidd dros arysgrifau gwreiddiol. Graffiti'r bedd.

Rhyw lun ar argyfodiad yw'r weithred o gyfarch beridd meirw yn uniongyrchol yn y gyfrol hon. Ni fodlonwn ar y terfynoldeb a ddynodir gan y bedd, a chan yr arysgrif. Galarwn, wrth gwrs; ond nid bob tro o ganlyniad i'r ffaith seml honno: bu farw'r bardd. Dyletswydd ffurfiol marwnad yw galaru yn y modd hwnnw. Wrth ddarllen molawdau mynwent, gellir maddau inni am ebychu, fel y gwnaeth Wordsworth, 'Ble felly mae'r bobl *ddrwg* wedi'u claddu?' Rhan, felly, o ddyletswydd y gyfrol hon yw dadfytholegu a datgyfrinio'r farwnad, cwestiynu duwioldeb difeddwl y traddodiad. Diwygiol yw hanes llên *Poets' Graves/Beddau'r Beirdd* – beirniadaeth lenyddol angladdol.

O'r cychwyn, fel y dengys 'Englynion y Beddau', bu cwestiynau yn rhan hanfodol – yn wir, anorfod – o'r dasg o ysgrifennu am y bedd. Yn ein testunau ni, ceir llu o gwestiynau sy'n herio'r bedd a'r bardd i ddadlennu eu cyfrinachau. Palwn amdanynt. Gofynnwn yn ogystal: pa fath o draethu neu ymgomio sy'n briodol i'r fynwent? I ba raddau y mae chwerthin, siniciaeth hyd yn oed, yn addas ar erchwyn y ddaearddor ddu? Pan fo iaith yn fwyseiriol, a yw'n troi'n *wrth*arysgrifol? A ellir galw ar feirw barddonol Cymru yn y ddwy iaith? A gaiff man claddu'r corff benywaidd ei delweddu'n wahanol i fedd y bardd gwrywaidd? Symudwn y tu hwnt i ffrâm y delweddau i gyfannu cofadeiliau'r bedd, y maes claddu ehangach, y panorama oddeutu'r parc, ac ymhellach at gyfesurynnau cenedlaethol a rhyng-genedlaethol. Wrth gwrs, mae'r daith tuag at y bedd hefyd yn hollbwysig. Yn ogystal, erys awduron *Poets' Graves/Beddau'r Beirdd* yn llwyr ymwybodol o'u statws fel twristiaid llenyddol, ac o'r tensiwn diymwad rhwng pererindod a difyrrwch.

Canlyniad hyn oll yw'r ffaith (eironig) mai rhannau o hunangofiannau'r awduron presennol yw testunau llenyddol a gweledol y gyfrol hon. Cânt eu traddodi yn wylaidd, hyd yn oed yn rhemp eu strategaethau iconoclastig, yng nghysgod y rhybudd traddodiadol hwnnw ar gerrig beddau: *Fel yr wyf innau, felly y byddi dithau.* Ond wedyn, fel y mae Scott Newstok yn ein hatgoffa, 'Yn y diwedd, rhywbeth ar gyfer y byw bob amser yw ysgrifennu am farwolaeth'.

Damian Walford Davies

ESTHER

Poets' Graves
Beddau'r Beirdd

Brenda Chamberlain

[1912–1971]

Glanadda cemetery, Bangor

The last of your chain of islands, this hillside tumbling to the city's tide-race. You never minded bones. Always deft at depths, you fathomed nibbled bodies of the drowned. On the holy isle, your harrow turned up saint's phalanges. Here, on river Adam's banks, you're no man's rib. Your bones are coral in the pit.

Brenda Chamberlain

[1912–1971]

Mynwent Glanadda, Bangor

Rhoed un Efa arall i orffwys yng Nglanadda. Roedd hon wedi blino ar deithio o ynys i ynys, ac wedi blino ar unigrwydd papur a phensil a phapur a brwsh a phapur a phawb a neb. O'i gardd ar lan y môr daeth cesig y tonnau olaf i dynnu'r llanw'n ôl, a gadael y galon werdd yn llosgi'n grimp ar y tywod gwag.

IN
LOVING MEMORY
OF
AGED 80 YEARS
"Thy will be done"

Edward Prosser Rhys

[1901–1945]

Aberystwyth cemetery

A gibbous morning moon above the yew. I knew it best from low-hedged upland lanes. Tramping back from all-night verse in vestries, Housman in my hand, I saw it rise barefaced from fenland, hang its sickle in the corn. In photographs, I turn to you a film-star face, the secret of my far side buried in my smile.

Edward Prosser Rhys

[1901–1945]

Mynwent Aberystwyth

Rhwng y colofnau, yr erwau o eiriau, yno, yn y dyddiau ifanc, roedd bylchau bach, mor fach â beddau, yn llawn gronynnau dirgelwch. Ond daeth dwylo hen anghofio o rywle, gan ddal baner, ac yn llwybr ei chwifio hi ysgubwyd y cyfan, gan adael lleisiau llai na llwch i sibrwd yr hanes.

ER COF ANNWYL AM
EDWARD PROSSER RHYS
33 NORTH PARADE.
HUNODD CHWEFROR 6, 1945,
YN 43 OED
GWYRODD EFÔ I'R DRUGAREDD FAWR,
NI WYR NAMYN DUW DDIRGELWCH EI WÊN
T. GWYNN JONES.
HEFYD EI BRIOD
MARY PRUDENCE RHYS
A HUNODD GORFFENNAF 9, 1991
YN 87 MLWYDD OED
MELYS ATGOF

Dafydd Richards

[Dafydd Ionawr, 1751–1827]

St Mary's churchyard, Dolgellau

Come now, Dafydd: isn't this too much? – an
alien, ashlar obelisk, cutting slate-grey sky?
True, in life you always went for epic: devil,
deluge, thunder, Baal and Joseph's dreams . . .
But setting up as Pharaoh? Tut. Have a care: this
drizzling town's no Giza, that wan Welsh sun no
Ra. Still, I like your style. Here's to your mummy-
cloths, your gold sarcophagus.

Dafydd Richards

[Dafydd Ionawr, 1751–1827]

Mynwent Eglwys y Santes Fair, Dolgellau

Benthycwn eiriau'r Parch Morris Williams,
Amlwch i ddweud fel hyn amdanat: 'Tra y parhao
Cader Idris i ymwisgo yn y cwmwl llwyd; tra y
clywir Cymraeg yn cael ei siarad is ei chysgodion;
a thra y byddo dynion i'w cael a fawrygant
brydferthwch, rhinwedd a duwioldeb, bydd ei
weithiau yn golofn ddigonol i ATHRYLITH
DAFYDD IONAWR'. Tybed pam felly y benthycwyd
dy fedd gan gyfeillion Ioseph yn yr Aipht? Ai dyma
oedd ei dâl am y siâr helaeth o'r 28,176 llinell
sy'n dy gywyddau maith?

T. Gwynn Jones

[1871–1949]

Aberystwyth cemetery

I've seen pictures of your cradle. Your father's father fashioned it. Deathly, in its way: sable oak, and cowled; four-pinnacled to match the village church. At the foot, uneven ridges like bad teeth. Here you first felt metre's swaddled swing. Its darkness also went in deep, staining every chair you won. In dreams you listed to its sickening pitch. Coffin-like, as all cots are.

T. Gwynn Jones

[1871–1949]

Mynwent Aberystwyth

Yn heddiw ein holl heneiddio, nid oes un dim i'n cysuro rhwng y meini'n chwyrlïo, ond dail coed awel y co'.

THOMAS GWYNN JONES
1871 – 1949
RGARET JANE GWYNN JONE
1872 – 1963

John Jones

[Tegid / Ioan Tegid, 1792–1852]

St Brynach's churchyard, Nevern

Take me back, John, to your earthing. Early May, yes? – let's get the season right. You bagged the highest grave. In pulpit prayers that week: China's civil war. A line of gentry, literati, antiquarians, stretching down the bank. Lady Charlotte in the latest London crêpe; your curate two shades blacker for the whitethorn in the hedge. Bishop Thirlwall lurking at the gate. Thrown through time, these late words rattle on your box like clods of earth.

John Jones

[Tegid / Ioan Tegid, 1792–1852]

Mynwent Eglwys Sant Brynach, Nanhyfer

Blentyn y Bala Bach, yn niwedd dydd, ai dim ond Meirionnydd sydd mwy i'r enaid? Ai hwn yw'r un 'hiraeth ysywaeth sydd'? Ac ai'r maen hwn yw'r tŵr yng nghanol y winllan mewn bryn tra ffrwythlon? Gwaedda'n uwch! Nid yw llais y garreg ateb yn gwybod y ffordd trwy fariau haearn Nanhyfer.

Taliesin's Grave

[Bronze Age; 2nd millennium BC]

Above Tre Taliesin

Caught between a battery of bales and cattle coughs. Below the corrugated rise, the broadening Dyfi swanks it to the sea. The grave's a rifled gash. Driving home, we pass a hearse, the coffin Union Jacked. Perhaps it's heading up, in eternal second gear. I picture a seaward honour guard, caps drawn low across the eyes. The gun salute is heard in Elmet, Rheged, Ystrad Clud.

Bedd Taliesin

[Yr Oes Efydd; ail fileniwm CC]

Uwch Tre Taliesin

Ymhell o Reged, yn llai pell o Bowys, â dim ond bêls mewn bin bags du i'th gadw rhag rhu'r môr, gorffwysa dro. Gad i ni'n dau gadw cwmni â'n gilydd, ac na foed i ni wallgofi. Gwell fyddai pwl o odli . . . Urien, Talhaiarn fab Awen, Hen Goel, Tegid Foel, Ceridwen . . . Elffin, Taliesin, Aneirin, Gododdin, Morfran, Bendigeidfran . . . A heno, Gwion bach, â'r awel yn iach, dan gap stabal o faen, gad i ni glwydo'n llonydd a disgwyl, disgwyl y wawr.

Evan Evans

[Ieuan Brydydd Hir / Ieuan Fardd,

1731–1788]

St Michael's churchyard, Lledrod

'The Tall Poet', eh? What passed for 'tall', the year before the Bastille fell? How low had bishop-baiting, jobbing curacies, crazed enlistment in the Regiment of Foot, a lifetime bent on vellum and your fabled drinking made you bow? I know you're somewhere in this raised ellipse. But what am I to look for, in the absence of a stone? A plot – what – no shorter than 5'10"? Or are you now that yew – drawn up, fifty feet and climbing, your poor flesh running sober in its sap?

Evan Evans

[Ieuan Brydydd Hir / Ieuan Fardd,

1731–1788]

Mynwent Eglwys Sant Mihangel, Lledrod

Ieuan Brydydd Hir Yr Ail, Ieuan Fardd, Evan Evans. Tri enw a thaldra i'w ryfeddu. Ac eto, llithraist o afael y llun. Yn Lledrod nid oes all adrodd amdanat, a'th fawredd mae'n siŵr dan fieri. Am heddiw, dychmygwn mai bys hir dy law di sy'n cosi gên y nefoedd gan ddisgwyl awen pregeth neu gerdd, gan wybod – yma yn rhywle – bod cysgodion yn copïo amlinell y cof amdanat.

David Emrys James

[Dewi Emrys, 1881–1952]

Pisgah Chapel graveyard, Talgarreg

He came out of the hobo dark to claim his Crown and Chairs. That trademark hangdog look! From a bench on the Strand to bardic thrones; from lonely byre and stinging rick to the Press, the purple gown. Then he was gone; back out, defrocked, into the shires, to tramp out next year's verse. What if he begged? – he did it regally. Hearing he'd be passing through, my great-grandfather left a pithead hut unlocked for him. There were those who looked the other way. I'd have them all meet here to read that line of his that conjures lifeblood moving, busy, in the ground.

David Emrys James

[Dewi Emrys, 1881–1952]

Mynwent Capel Pisgah, Talgarreg

Ar lôn holl lwybrau eleni, cofia, drwy'r cyfan, fod iti hen daith dy ddychymyg di all d'arwain at Bwllderi.

DEWI EMRYS
PREGETHWR
PRIFARDD
ATHRO BEIRDD
1881 – 1952
DISTAWRWYDD WEDI STORM

W. J. Gruffydd

[1881–1954]

St Deiniolen's churchyard, Llanddeiniolen

Never more yourself, I say, than when your voice was thrown. Your lyrics I can live without. It's in your bleak blank verse you hit your stride, speaking as that salt-cracked skipper beached above his dreams; or youthful, gothic, long-dead Gwladys Rhys, called from suffocating sabbaths out into the snow by something heard as harmony. It was nothing in the end but moorland wind, strained strange through groves of pine.

W. J. Gruffydd

[1881–1954]

Mynwent Eglwys Sant Deiniolen, Llanddeiniolen

A thithau mwy yn dy fawr ddirgelwch, a yw'r gwynt yn dal yn anesmwyth, a'r glaw yn dal i wylo? A beth am y lleisiau? Pa mor ddieithr ydynt? A murmur gwenyn Arawn? A chôr adar Rhiannon? A magwyrydd aur Caer Siddi? Rwyt ti'n eu gweld i gyd heno. Ac fel y môr, yr hen fôr, rwyt ti'n cofio. Ac nid oes neb yn dlawd.

ELWYN

T. Rowland Hughes

[1903–1949]

Cathays cemetery, Cardiff

Beside your bed, as every schoolboy knows: a print of Dürer's praying hands. Perhaps it fell one morning from the Sunday supplement; or did you send for it with coupons cut religiously from packs of soap? Each relapse gave you hours to gaze on it: the disembodied supplication, hanging in the blue; that endless, dog-legged middle digit, sleeves rolled back to cuffs. Hardly a rough apostle's hands. And when the final pains came screaming in, did you greet them palm-to-palm, the picture's silent prayer now roaring in your ears?

T. Rowland Hughes

[1903–1949]

Mynwent Cathays / Y Waun Ddyfal, Caerdydd

Cyrhaeddaist, bererin, y ffin hon. Llithrodd y weddi bêr o'th ddwy law di, dwylo'r dolur, nes cyrraedd ein dwylo ni, a rheiny'n eu tro yn rhannu dy eiriau dewr. O law i law trosglwyddwn y straeon mawr i gyd, troi dail y cerddi, byseddu'r emynau, nes ein bod ninnau hefyd yn deall hud y machlud mwyn. Ac weithiau, clywn lithro traed.

THOMAS ROWLAND HUGHES
BARDD A LLENOR
ANNWYL BRIOD EIRENE
LLANBERIS 1903 – CAERDYDD 1949.
"Y DEWRAF O'N HAWDURON"
A'I BRIOD HOFF
MARGARET EIRENE
1·8·1906–30·3·2001.

Waldo Williams

[1904–1971]

Blaenconin Chapel graveyard, Llandissilio

Your lines inferred a living girl from bleached
stone bones; raised her, breathing, from a cold
museum case. Here in bordersoil, you're
fleshless, too – disposed with black dog father,
fabled mother, fleeting wife. My turn, then, to call
you up, clothe you in the black-and-white I know
from photographs. You died when I was born.
Late September, your especial month: solar
panels on the chapel's roof have less to work on
now. I see you cycle off beyond the county line,
your one check shirt a trick of light.

Waldo Williams

[1904–1971]

Mynwent Capel Blaenconin, Llandysilio-yn-Nyfed

Am mai Gobaith yw'r meistr ac am mai Amser
yw'r gwas, ac am nad oes modd i ddeddfau dur
rannu'r hen deulu, ac am mai mawr yw'r neuadd
waeth pa mor gyfyng yw'r muriau, ac am fod y
gwynt yn chwythu lle y myn, tyf y gwreiddyn fan
hyn heb un wywedigaeth. A fan draw, o'r newydd,
tyf hen allt gyfan.

Dafydd ap Gwilym

[*c*.1315/1320–*c*.1350/1370]

Strata Florida, Pontrhydfendigaid

Some say he lies in Talley, where the bonefield yields to pasture, paddock, fold. He, of course, knows better. Here, in man's last outpost at the foot of bitter hills, he's fifty yards from princes, but the ground is raw. Poor soil for burying: shingly, spade-defying, waterlogged. His poems of plush May, of birds and curving river-valley girls, were all shored up against the bleakness of this place. Deathly evergreen, that yew above him mocks his summer birch and hazel groves. *God is not as cruel as old men say,* he sang.

Dafydd ap Gwilym

[*c*.1315/1320–*c*.1350/1370]

Ystrad Fflur, Pontrhydfendigaid

Dod i wely'r deildy olaf a wnest, dod i'r nos dywyllaf, ac wele'r wyrth! – golau'r haf daenodd y garthen dynnaf; yn ei gwead gwnïodd bader, a dal rhwng y dail di-bryder, ym mhob pwyth, pob cwlwm pêr, anadl dy awen dyner.

Idris Davies

[1905–1953]

Rhymney public cemetery

The irony of gravestones. Barely in the ground before you, your father chose his epitaph from Psalms: *As for man, his days are as grass.* His last address? Lawn Terrace. Chief winder-man at Abertysswg, he winds us up again. Is there room, perhaps, to laugh?

Idris Davies

[1905–1953]

Mynwent gyhoeddus Rhymni

Oes awyr newydd yn llawn cân? Yn barod am gân? Oes clychau gwell na rhai Rhymni'n cadw cwmni i'r awel? Oes dychymyg sy'n ddigon i gario dyn y tu hwnt i gynddaredd anghyfiawnder, hwnt i odlau parod propaganda? Ac ai mewn Cymraeg, fel Cymraeg y garreg fedd, y mae'r sgwrsio heb anghofio? Wedi dychwelyd i'r shifft danddaearol olaf ym mynwes y fam ddaear, trodd y glöwr, yr athro a'r bardd yn fab.

FIELD ST. RHYMNI.
A FU FARW RHAG. 11, 1922. YN 78 OED.
GWYN EU BYD Y RHAI PUR O GALON.
HEFYD AM EVAN, ANNWYL BRIOD ELIZABETH ANN DAVIES.
LAWN TERR. RHYMNI.
A FU FARW MEHEFIN 8, 1947. YN 66 OED.
"DYDDIA DYN SYDD FEL GLASWELLTYN".
HEFYD AM EU MAB IDRIS DAVIES, (Y BARDD)
A FU FARW EBRILL 6, 1953. YN 48 OED.
HEFYD AM YR UCHOD ELIZABETH ANN

Daniel James

[Gwyrosydd, 1847–1920]

Mynydd-bach Chapel graveyard, Tre-boeth

Singed and sodden, I puddled iron, stirring thickening pools until the metal's soul was parted from its slag. At Landore on the night shift, I rolled and pleated, doused and burnished endless bars of steel, throat rank with acid from the storage tanks. Then at Ocean's Pit, thick spit speckled black, I hacked and hacked till coughs came rattling up from mottled lungs. See now where those lines on lily-whiteness and the everlasting income of the spotless heart in 'Calon Lân' were forged?

Daniel James

[Gwyrosydd, 1847–1920]

Mynwent Capel Mynydd-bach, Tre-boeth

Ni ofynnaist am aur y byd, na'i berlau mân ac nis cefaist. Cefaist yn hytrach dy ddau enw ar ddwy ysgol, ac yn y llwybrau mieri, rhwng y drain a'r drysi a'r rhedyn a'r trash, cefaist orffwysfa anesmwyth. Sobor o beth. Dim ond gobeithio, yn rhywle rhwng yr hwyr a'r bore, y cafodd dy ddymuniad ei adain, ac y rhoddwyd iti galon lân.

Ebenezer Thomas

[Eben Fardd, 1802–1863]

St Beuno's churchyard, Clynnog

Your swollen ode on smashed Jerusalem? – let's just say it hasn't weathered well. I prefer you singing parish things. You mooched around this churchyard every day; a brooch of lichen couldn't form without your noting it. When they fixed the church, you raised it too, in verse – trumpeting the restoration with an eye for re-carved corbels, scrubbed-up stone. But you're best on democratic Clynnog earth: how it liquefies the local bigwigs. Fancy Twistletons, grand Glynnes.

Ebenezer Thomas

[Eben Fardd, 1802–1863]

Mynwent Eglwys Sant Beuno, Clynnog

Mae dinistr eto yn Jerwsalem a'r dymestl eto'n chwythu. Mae teulu a ffrindiau (a hawddfyd wrth reswm) yn dal yn anwadal. Syrthiodd y meini nadd, syrthiodd y deri cadarnaf. Ac wrth weld dy enw yn ei chanol hi, does ond gobeithio y daeth dy droed o leiaf o hyd i graig yr oesoedd.

R. S. Thomas

[1913–2000]

St John's churchyard, Porthmadog

I always thought we'd have at least a body we could bow to. Ah, no. Ever foxy, you chose the fire. Are urns and ashes buried deep as flesh? And then this trifling slate, with name and number only – the grave's bare dog-tag. You might have granted us a little decoration: true, one shells out by the letter, but 'POET' wouldn't break the moral bank. Below, Easter tourists raid the pound shops, shock transfusions for a croaking town. On the ward, I remember how I put my hand on yours, and how your feeble wave displayed the lifeline trailing off, mid-verse, on the crumpled page of your palm.

R. S. Thomas

[1913–2000]

Mynwent Eglwys Sant Ioan, Porthmadog

Ni chafodd gwraidd y grug gyfle i fwrw'n ddwfn i'r pridd. Rhoddodd y gwynt gic egr iddo, ac nid yw'n perthyn. Fe'i caethiw-wyd mewn pot plastic, fel ei fod yn rhydd i symud. Does dim angen hel achau ar eneidiau Neb na'u clymu wrth hwn-a-hwn, neu hon-a-hon. Mae un enw'n ddigon.

Ronald Stuart Thomas
1913 2000

Dylan Thomas

[1914–1953]

St Martin's churchyard, Laugharne

You're in overspill. The churchyard proper – stuffed with burgesses and cocklewives – filled up fifty years before they sailed your bloated body home. There's a photo of you rising – dapper, dickie-bowed – among the elder graves, as if you're scouting for a plot. The uphill view reveals that, forty years estranged, she joined you, trading seared Sicilian soil for wet Laugharne loam. Who planted ling along your five-foot-something stretch? You've both become the cold, green fuse through which the force thrusts up the flower.

Dylan Thomas

[1914–1953]

Mynwent Eglwys Sant Martin, Talacharn

Fab y don, cipiaist o'r dŵr rym glaswyrdd y sŵn sy'n gwneud sens yn sianel y clyw, a heno yng nghlic y camera, yn yr amrantiad du a gwyn, daliwyd geiriau dy lais. Maent i'w clywed ar dafod fel gronynnau hallt y môr sy'n gwlychu'r afon nes draw. A chyn cau'r nos dyner, ddi-gynddaredd, gwelwyd yn winc y lens y llun sy'n dweud enw'r gragen a anwesodd y llais hwn. Ar y don olaf, fe'i cariwyd yn ôl i rannu dy wely a'th groes.

Caitlin Thomas
born
Dec. 8
1913
died
Aug. 1
1994
R·I·P

Lewis Morris

[Llewelyn Ddu o Fôn, 1701–1765]

St Padarn's Church, Llanbadarn, Aberystwyth

The day job had him mapping bays and harbours,
a showy compass rose eclipsing half the chart.
Then he ventured south and turned tycoon,
sinking lead mines in a landscape so forlorn the
only way was down. I tracked him to this
chancel's haven, daylight at low ebb. I'm the one
prospecting now, the mind's shaft sent plumb
down to source his heavy ore.

Lewis Morris

[Llewelyn Ddu o Fôn, 1701–1765]

Eglwys Sant Padarn, Llanbadarn, Aberystwyth

Mesuraist ystadau, mwyngloddiau plwm a'r môr
hyd yn oed. Mesuraist, mae'n siŵr, bob modfedd
gul yng ngharchar Aberteifi, ac wedyn, â ffon yr
ynad, anfonaist ddigon, mae'r un mor siŵr, i
gelloedd culach. Ond yn fab o blwyf Llanfihangel
Tre'r Beirdd, roedd rhaid iti wybod hyd a lled
cywyddau ac awdlau, llinellau ac englynion y lleill
i gyd. Rhyfedd nad oedd un o'u geiriau Cymraeg
yn mesur digon i ddal sglein pres dy gofeb. Tro!
Lewelyn Ddu. Tro!

NEAR THIS PLACE LIE
THE MORTAL REMAINS OF
LEWIS MORRIS
LLEWELYN DDU O'FON
SCHOLAR-PHILOSOPHER-POET-PATRIOT.
ANGLESEY
MARCH 2ND 1700.
DIED AT PENBRYN IN THIS COUNTY
APRIL 11TH 1765.
THIS MEMORIAL WAS PLACED HERE
TO MARK A SPOT DEAR TO WALES
BY HIS GREAT-GRANDSON
LEWIS MORRIS
A.D 1884.

David Charles

[1762–1834]

Saint Cynnwr's churchyard, Llangunnor

He wrote the words my tribe was buried to. Digging deep one day, my mother's mother raised her father's laying out: how the coffin in the *parlwr* balanced parlously on two small chairs; how the mourners huddled round the minister, a room away; how the bearers flexed their shoulders, imagining the long slog up the hill; and how the hymn, uncertainly struck up, was the trigger for the carpenter – *bang bang* – to nail – *bang bang* – the coffin lid – *bang bang, bang bang* – irrevocably down.

David Charles

[1762–1834]

Eglwys Sant Cynnwr, Llangynnwr

O Lanfihangel Abercywyn, Sir Gaerfyrddin, teithiodd dy frawd, Thomas, bob cam i'r Bala i borthi Beiblau i bawb, a theithiaist tithau mor bell â mynwent Llangynnwr. A wnest ti raff erioed a fyddai'n ddigon cryf i'th dynnu o'r cwch carreg? Ac ai rhagluniaeth fawr y nef a drefnodd dy fod yn gorffwys â bryniau Caersalem sir dy eni yn glir ar y gorwel agos?

T. Llew Jones

[1915–2009]

Capel y Wig graveyard, Llangrannog

Though master of its own strict metres, SatNav failed to find you, beaten by the dense *cynghanedd* of these lanes. It took a different craft to reach this stiff-sown field of farmer poets, bay of sailor bards. You turned to prose, but furnished all your friends with well-versed epitaphs – your name's incised on all the neighbouring stones. The chapel scans you sidelong, triple-eyed.

T. Llew Jones

[1915–2009]

Mynwent Capel y Wig, Llangrannog

Roedd 'na hewl, a'i ffordd yn hawlio fy nhaith, fan 'ny awn dan frysio, tua'r un fu'n wên bob tro, y llew aur wnaeth fy llorio. Ond mae gwên, mae awen mwyach 'di mynd, mae iaith yn dawelach, â'i gân mewn man amgenach, tu draw'r boen dros Bont Dŵr Bach.

ER COF ANNWYL
AM
MARGARET ENIDWEN JONES
DOLNANT, PONTGARREG
HUNODD MAWRTH 28, 2002, YN 91 OED.
AETH MAM DYNER I'R GWERYD
A GWRAIG FWYN DAN GARREG FUD.
HEFYD AM
T. LLEW JONES
HUNODD IONAWR 9, 2009, YN 93 OED.
YMA RHWNG GALAR A GWÊN, - YN ERW'R
HIRAETH NAD YW'N GORFFEN,
WYLO'N DDISTAW MAE'R AWEN
UWCH OLION LLWCH EILUN LLÊN.
DIC JONES

Daniel Evans

[Daniel Ddu o Geredigion, 1792–1846]

St Patrick's churchyard

Let's not beat about the bush that sprouts inside his black, spiked cage: it was suicide. In a backward spring, I entered through a tumbled rupture in the churchyard wall. From the valley floor, a pheasant's claxon trailed off into hollowness; on one small plot, pink and purple teddy bears lay ousted, doused; mizzle turned what should be meadow into fen. Priest without a parish, he fought against the mind's drenched dark. Up-beat, enamelled, the plaque they soldered to his paling points out none of this.

Daniel Evans

[Daniel Ddu o Geredigion, 1792–1846]

Eglwys Sant Padrig, Pencarreg

Lle peryg yw gwinllan y bardd. Cadwch draw. Gwyliwch y gatiau. Ac os oes rhaid, mynnwch gip drwy'r bariau haearn yng nghwmni diogel Silas sy'n gorwedd droedfeddi nes draw. Anghofiwch am ladd amser a cheisio ei gywain i whilber gwaith, rhag ofn i chi ddal y nos yn cynnau'r sêr, rhag ofn i chi weld pethau na welodd llygad, a chlywed pethau na chlywodd clust.

William Thomas

[Gwilym Marles, 1834–1879]

Rhydowen New Chapel graveyard, Rhydowen

Reverend – you died dog-tired, balked by bailiffs, rotten ballots, Tory padlocks on your chapel gates. Beyond your reach, your little daughter's grave grew wild. The cash that might have gone on lawyers went to raise this dour new temple down the road. You held out long enough to see your blackspot flock trail in. The marble cross they foisted on you first was shattered in a wind that sounded like the squire's mad guffaw.

William Thomas

[Gwilym Marles, 1834–1879]

Mynwent Capel Newydd Rhydowen, Rhydowen

Dilynaist lwybr Richard Price, Iolo Morganwg, Jac Glan y Gors a Tomos Glyn Cothi nes cyrraedd y groesffordd lle plediaist unwaith yn ormod achos y tlawd. Llosgodd tân dy bregethu undodol groen denau'r sgweier ac fe'th daflwyd di mas – ti a'th braidd. Heddiw, cei gorlan glyd yng nghysgod talcen Capel Coffa Llwynrhydowen, a chafodd dy lais, a oedd fel y môr, ail anadl yng nghân Dylan, alarch afradlon Abertawe.

Edmwnd Prys

[1542/3–1623]

Chancel, St Twrog's Church, Maentwrog

Let's talk about your playing fast and loose with Psalms; how you learned to blunt your Cambridge swagger; where exactly underneath the spangled altar you're disposed; whether your memorial window flatters you. On second thought, let's talk about the thug you served as chaplain – scourge of Ireland, death triumphant on an English horse. Did you think of that, archdeacon, when you knelt with him to pray?

Edmwnd Prys

[1542/3–1623]

Cangell Eglwys Sant Twrog, Maentwrog

Mynwent oer yw mynwent Maentwrog, gŵyr ei thrigolion hynaf hynny'n iawn. Dyna pam fod mynd ar y busnes rhentu cwch dros fisoedd yr haf – cyfle bach i'r rhai sy'n styc gael arallgyfeirio, un siawns olaf i hel celc cyn daw'r gaeaf i gloi'r dŵr a phob dihangfa. A hyn sy'n rhyfedd yw mai teithiau yn ôl ac ymlaen yw'r mwyaf poblogaidd. Arglwydd y lluoedd mor ardderchog yw dy enw ar yr holl ddaear.

Thomas Jacob Thomas

[Sarnicol, 1873–1945]

Bwlch y groes Chapel graveyard, Ffostrasol

Tracing him took thirty minutes. Not bad, in fading light. I raked this place as farmers plough a headland pattern: dead straight line – tight turn – another line. It's all sod's law in graveyards – he was at the back. *Found you!* (as if he'd simply toddled off to hide). So many infants' graves . . .

Thomas Jacob Thomas

[Sarnicol, 1873–1945]

Mynwent Capel Bwlch y groes, Ffostrasol

O'r garreg wen ar ben y lôn, arweiniodd un o'r pedair ffordd at Benbedw, a chario dy awdl bob cam i'r ail safle. Daeth ei thestun i'r brig. Proffwydodd farwolaeth y bugail yn ffosydd Ffrainc, a chipiodd hwnnw'r wobr yn ddüwch i gyd. Arweiniodd un arall at Laura Place, Aberystwyth, un arall at Fynwent y Crynwyr. A'r olaf at fynwent o resi cymesur – lle addas i fathemategydd gael seibiant i ddatrys y broblem olaf.

ER COF
AM
THOMAS JACOB THOMAS
MARGARET DAVIES

Dic Jones

[Dic yr Hendre, 1934–2009]

Blaenannerch Chapel graveyard

Beyond the bluff, they practise for the next unmanning strike. Fifty years ago, packing silage in its winter shroud, mending tedders' barbs, or emptying my pipe against a post, I watched bombardments of a target buoy, rockets rip parabolas above the bay. Today, a drone approached so low, it threw a rippled cross along my grave.

Dic Jones

[Dic yr Hendre, 1934–2009]

Mynwent Capel Blaenannerch

O dan drydar dienaid adar angau'r parc drws nesa, beth sy'n aros yn wyneb haul a llygad goleuni? Dim ond her i daflu'r pelydrau yn ôl, a gobeithio dy fod tithau bellach wedi cyrraedd y darn o'r haul draw yn rhywle. Hynny a diolch am i ti ddangos i ba gyfeiriad y dylem ninnau yn ein hiraeth fwrw golwg.

Er Cof Am
DIC YR HENDRE
1934 ~ 2009
Archdderwydd Cymru
Mae alaw pan ddistawo
Yn mynnu canu'n y co.
Er Cof Am ESYLLT MAIR
20. 10. 1980 ~ 16. 2. 1981.
WILLIAM IVOR EVANS
MARGARET CHARLOTTE

Rhys Prichard

[Yr Hen Ficer / The Old Vicar, 1573/9–1644/5]

Chancel, Saint Dingad's Church, Llandingat, Llandovery

Vicar, have a care. To make your pious rhymes you filch our ballads' beat, pinch the measures of our randy tavern verse, the pulse that in the bristling meadows guides our scythes. You can have our souls on Sundays; we'll drone by rote, mumble our responses to the prayer book's prompts. But leave us, sir, our doggerel – we need to know there's difference, still, between naughty and divine.

Rhys Prichard

[Yr Hen Ficer, 1573/9–1644/5]

Cangell Eglwys Sant Dingad, Llandingad, Llanymddyfri

Ni cheir mwy ond drws caeëdig lle bu gynt y gân garedig, dim ond patrwm cain hen wreiddiau yn dal ôl ein cof mewn clymau.

Henry Vaughan

[1621–1695]

St Bridget's churchyard,
Llansantfffraed

Your brother was an alchemist. What did *you*, his twin – self-styled undeserver, sinner *maximus* – try to change? Here, above a shallow camber of the Usk, the times' mad chemistry passed you by. *Not so. It burned me even here. I transmuted nothing – but I was God's alembic. He turned my flint heart into flares, base spirit into soul.*

Henry Vaughan

[1621–1695]

Mynwent Eglwys Santes Ffraid,
Llansanffraid

Gan dy fod wedi gweld tragwyddoldeb eisoes, a chan dy fod yn gwybod mai cylch enfawr o olau pur heb ddiwedd ydyw, lle mae popeth mor dawel, mor llachar, ac i'r lle y taflwyd y fam ddaear a'i holl ddilynwyr, a lle mae cysgod amser, yr oriau, y dyddiau a'r blynyddoedd yn ymsymud, does ryfedd y daeth dy sgwrs rhwng corff ac enaid i ganu yn llaw Holst, cyfansoddwr y planedau pell.

John Blackwell

[Alun, 1797–1841]

St David's churchyard, Manordeifi

You had the living here. Vicar, forgive the quip. Let's chat about that pitched cup of a coracle, propped up in the porch. Practical: I've seen the bloated Teifi drown these fields, lap the churchyard wall. Now there's an image, John: under a hunter's moon beyond the graves, your tubby, whiskered, black-gowned figure sculling home.

John Blackwell

[Alun, 1797–1841]

Mynwent Eglwys Dewi Sant, Maenordeifi

A thithau bellach mewn amdo purwyn, ymhell o grud dy eni ym Mhonterwyl, ymhell o Berriw a llyfrgelloedd maethlon Rhydychen, a beidiaist â charu Rhywun? Nid yw'r haul yn machludo'r bore ac mae clogwyn eto yn Eryri, a choed ar ben y Beili ac oes, mae dwfr yn dal yn afon Alun, ond rwy'n mentro gofyn, rho un arwydd, pwy ydoedd? Pwy oedd Rhywun?

Jane Brereton

[1685–1740]

Chancel, St Giles' Church, Wrexham

Dead, you could be simplified. Jane, they made you reek of piety and smelling salts. What, frankly, did you feel, the day your wastrel husband, urging on a nervous horse, misjudged the Saltney tide? – when you signed yourself 'Melissa' under cloying rhymes? – when Wrexham beggars held out skinny hands each time you took the air? Rise up! I want to see you stand here in your bones and *scream*.

Jane Brereton

[1685–1740]

Cangell, Eglwys San Silyn, Wrecsam

Llais Melissa luniodd y llinellau a'r llythyron yn llu. Hi Melissa gadwodd gwmni â Myrddin un nos nes gweld gyda'i gilydd y freuddwyd frenhinol. Heb staes sillafau a pheisiau stiff yr odlau saff, mae Mrs Melissa bellach yn swp o esgyrn, a'i chlyw'n clustfeinio am wadnau'n tap-tapio'r acenion rheolaidd ar balmentydd gloyw'r glaw. Ust. Jane. Dihuna! Mae erwydd pren y fainc wag yn disgwyl cwmni dy gân, a rhwng pyst y coed, mae'n barod i rwydo'r rhythmau rhydd.

William Williams

[Pantycelyn, 1717–1791]

Llanfair-ar-y-bryn churchyard, Llandovery

You said your sins were nails that spiked His body daily to the tree. So your hymns were tools to claw those black barbs out? But they went in deep; a lifetime's tuneful wrenching couldn't tug them out. Dead, you're struggling still to pluck that gross red gravespike from the sky.

William Williams

[Pantycelyn, 1717–1791]

Mynwent Llanfair-ar-y-bryn, Llanymddyfri

Mor anaddas yw'r carchar carreg a'r golofn faen. Rwyt ti, a garodd yr anweledig, a ddeisyfodd am i'th enaid gael ei sugno'n lân, wedi hen ddianc. Edrychaist nid ar ei wyneb, ond ynddo, ac yno, cefaist y ffordd mas, a chyda holl nerth dy egni rhyfeddol, fe'i dilynaist bob cam. Rwyt ti'n dal i'w dilyn. Mae'n daith dragwyddol.

T. H. Parry-Williams

[1887–1975]

St Mary's churchyard, Beddgelert

His couplets: a nervous tic, lean spars to cling to on a bucking spacetime sea, shotgun rhymes against the self's unravelling. He had an eye for death: the living sunflash off a coffin plate, the black crux of an insect on the window pane, that loping figure coming for his mother, fast, along the sheepfold line.

T. H. Parry-Williams

[1887–1975]

Mynwent Eglwys y Santes Fair, Beddgelert

Hir lyfnhawyd y garreg lem hon, mor hir nes iddi droi'n biler cymdeithas, yn ddigon o faint i ddal gwaelodion pyst y nef. Ond go brin fod yr un y naddwyd ei enw pwysig arni'n siŵr pwy ydyw, ac yntau'n gorwedd oddi tani. Neu a yw'n synhwyro fod y bryn a'r mawndir, y pabwyr a'r graig a'r llyn gerllaw? Neu, tybed, a lithrodd e drwy grafangau marwolaeth heibio i'r garreg hon, ac fesul darn yn ôl i'r moelni maith?

Vernon Watkins

[1906–1967]

St Mary's churchyard, Pennard

The oldest teller in town, cashing up at 4 to catch
the bus to where slim fields fall short to shingle.
Then out again to calculate the interest on
Eternity, hoard the Infinite in Gower shells
against the debt of winter curlews crying
coastwards, Time's scythes for bills.

Vernon Watkins

[1906–1967]

Mynwent Eglwys y Santes Fair, Pennard

Wedi llyfu clwyfau Penrhyn Gŵyr, mae tafod y don
yn siarad eto heno, a does neb ond ti a ŵyr ystyr
ei geiriau a iaith y meini mawr safadwy.
Goncwerwr amser, daeth diwedd ar ganu'r gân a
diwedd ar gyfri'r geiniog, a chest, o'r diwedd,
lonydd perffaith i fesur grym angylion – y rhai
sy'n gallu gwella dolur calon.

Robert Williams

[Robert ap Gwilym Ddu, 1766–1850]

St Cawrdaf's churchyard, Aber-erch

You were the needle in death's haystack. I walked a perfect lattice through the grass, past still, small births, lost daughters, parish poor and patriarchs. I tramped it till my jeans were drenched. *Throw me a bone!* I quipped, dead silence punning back.

Robert Williams

[Robert ap Gwilym Ddu, 1766–1850]

Mynwent Eglwys Sant Cawrdaf, Aber-erch

Rhy fyr oedd dy fywyd. Aeth yr holl chwilio, y chwilio *heb* ei chael hi, â golau dy ddyddiau i gyd a thywyllwch dy nosau hir. 'Grave Not Found', meddai'r ffotograffydd. Mae angen amser maith i chwilio weithiau, a'r ochr hon i Aber-erch, siawns mai rhy fyr fyddai tragwyddoldeb wedi bod i ti.

Martha Llwyd/Lloyd

[1766–1845]

Llanpumpsaint churchyard

Did you set your hymns to match your husband's hammer in the forge next door? Or did he time his stroke to tally with the measure of your songs? Either way, your cottage rang and burned – his side charcoal-fuelled, your soulblaze fired by God.

Martha Llwyd/Lloyd

[1766–1845]

Mynwent Llanpumpsaint

Wraig y gof, yng ngwreichion y tân toddaist eiriau a'u llunio'n llinellau cadarn. Dilynaist daith y dŵr a rhwyfo o Nantbendigaid i'r Felin nes cyrraedd Glanyrafon. Yng nghanghennau'r ywen, mae cysgod mil a mwy o flynyddoedd yn dy warchod, ac yn siant Gwili mae mil o rasusau dy emynau di.

BEDD
MARTHA
LLWYD

Ann Julia Hatton

[Ann of Swansea, 1764–1838]

St Matthew's (formely St John's) churchyard, Swansea

Black sheep of a famous flock, she traded limelight for the baths of Swansea Bay. As her sparkling sister trod the London boards – *Out, damned spot! Out, I say!* – she limped across provincial stages, pockmarked, gross. How the smart set sneered. Every triple-decker novel, every local verse, fleshed out her oddness in their eyes. The painting in the town museum shows her as a Spanish donna: hefty, veiled. A little dangerous.

Ann Julia Hatton

[Ann of Swansea, 1764–1838]

Mynwent Eglwys Sant Mathew (Sant Ioan gynt), Abertawe

Chwaer dy chwaer, dan y llwyfan concrid, llwyd gorwedd holl liw dy fywyd bellach. Cronnodd dagrau'r fynwent ym mhwll bas hen garreg fedd, ac yn nrych y dŵr, nid oes golau'r un seren yn fflachio gwên, dim ond cysgod gwg hen gofeb fawr yn rhychau i gyd. Ann o Abertawe, crwydraist ymhell o Gaerwrangon i Lundain ac i'r Unol Daleithiau cyn canfod dy lojin olaf yma ger yr orsaf drên. Rhag ofn.

R. Williams Parry

[1884–1956]

Coetmor cemetery, Bethesda

Through those thick-rimmed Wiseman specs, he noticed not so much the orchard blackbird as the soilspot on its gaudy beak; not the gabbling of the Christmas geese, but the knifestroke that would silence them; not the poem in the foxed and deckled tome, but the margin's dead man's hand.

R. Williams Parry

[1884–1956]

Mynwent Coetmor, Bethesda

Myfanwy dirion, dilynoch y doeth, cawsoch noddfa, ac yn y pridd a rwygodd y Gwanwyn unwaith ac a roddodd i'r Nos flas o'r hwn y'n gwnaed, cewch orffwys nawr. Mae llonydd weithiau yn orffenedig, ac weithiau nid oes dewis ond rhodio, nid wrthych eich hunan, ond gydag enaid hoff cytûn.

ROBERT WILLIAMS PARRY
1884 - 1956
MYFANWY

Rhys Goch Eryri

[*fl.*1385–1448]

St Mary's churchyard, Beddgelert

You moderns, you're so self-obsessed. Take elegy. For you, it rhymes with *me, me, me*. For us, it meant the sun's disc darkening, like the Host eclipsed; sudden rippling shadows chasing warmth across the rocks. When my patron died, I gave my tribe a spectral Spanish wineship tacking out of Anglesey, great bell tolling on the focsle, my lord's corpse casked on board.

Rhys Goch Eryri

[*fl.*1385–1448]

Mynwent Eglwys y Santes Fair, Beddgelert

Faint o siwrne oedd hi, dwed? O Hafod Garegog i fynwent y plwyf? Ai ar hyd dy lwybr dy hun y mentraist yma? Eisteddaist ti eiliad ar dy ddwy gadair gadarn i dynnu anadl, cyn gwlychu dy draed yn nŵr oer Afon Nanmor? A dwed, a oedaist ti ddiwrnod cyfan cyn dechrau arni, i weld am unwaith olaf gopa'r Cnicht yn bwrw'r haul ar hyd yr hen, hen linell gam, bob cam draw at gopa Moel Hebog? Ym mhatrwm adenydd pili pala'r prynhawn, mae llais sy'n gwybod yr atebion yn iawn.

William Crwysfab Williams

[Crwys, 1875–1968]

Pant-y-Crwys Chapel cemetery, Craig-cefn-parc

I tread gingerly around your plot, remembering your poem on how light our late lamented sleep. You were scouting out a whitewashed chapel when an Avro Lanc roared inland, heading for the runway's cross beyond the graveyard wall. Through the crumbling soil, a rasping voice: Had the seals been opened? The angel blown the trump? Was it time to buckle on poor flesh again, be weighed and judged? *Hush*, you said; *sleep now; it's early yet*. Hard task, to disappoint the dead.

William Crwysfab Williams

[Crwys, 1875–1968]

Mynwent Capel Pant-y-Crwys, Craig-cefn-parc

Yr un yw'r ffordd i Landeilo. Yr un yw'r ffordd i Rydaman. Yr un yw pob ffordd. Gŵyr pawb hynny. Y siwrne sy'n wahanol. Ac rwyt ti bellach, fel y melinydd, ysgubwr y dail a garddwraig y border bach, yn gwybod hyd a lled honno hefyd. Disgwyl wnawn ninnau, sy'n gwybod yn union lle mae'r Garreg Filltir ac yn gwybod yn union ei chennad, heb wybod cyfrinach y daith.

David James Jones

[Gwenallt, 1899–1968]

Aberystwyth cemetery

Did he sit for his stone? *Make it* – he might have said – *rough and runnelled as my face, blatant as my prison cell, angled like the steel God's body on the tree, brutal as the molten metal spilling from the broken gantry on my father's flesh. Cut the name in low relief; hammer out a sickled 'G'. Suffer no serifs; give me spikes.*

David James Jones

[Gwenallt, 1899–1968]

Mynwent Aberystwyth

Yn y glaw deil rhai heb glywed dy air, rhai'n dal heb ystyried, a rhai'n ddall i'r hyn a ddwed rhigolau'r garreg galed.

1968

John Tripp

[1927–1986]

Garth Hill, Pen-tyrch, Cardiff

From this office block, Newport Road six lanes of prose below, I see the summit where they set your cinders free. At last, the black dog's off your back. From that elevation, you can watch the Severn flare, the Cardiff train break cover from the borderclouds, windows kindling to a sunflash. Your bed of bracken's taking fire into fall.

John Tripp

[1927–1986]

Mynydd y Garth, Pen-tyrch, Caerdydd

Do fe'th aned ym Margoed – pam? Pwy a ŵyr? Pam y cest ti'r fath lais? Pwy ŵyr hynny hefyd? A sut y llyncodd y llais hwnnw ddwy iaith a'u taflu nôl mas ar dy dafod uniaith, unigryw dy hun, gan ddal rhwng y geiriau flas y mwg a'r gwin? A phan ddaeth y perfformio a'r bytheirio a'r cerddi cain a chrac i ben, lluchiwyd dy lwch dros fynydd y Garth. A phwy ŵyr paham?

William Williams

[Caledfryn, 1801–1869]

Groes-wen Chapel graveyard, Caerphilly

Ostentatious? Overblown? Come and say that to my copper face. Cleanser of the bardic stables, scourge of poetasters, master and commander of the shipwreck ode: I deserve each slabbed, pink, angled inch of it.

William Williams

[Caledfryn, 1801–1869]

Mynwent Capel y Groes-wen, Caerffili

A dyma ddod at William Williams arall. Un o Fryn y Ffynnon, Dinbych y tro hwn. A rhag ofn y bydd neb yn amau pwy yw pwy, hwn yw'r un sy'n farw-effro. Ai lygaid nadd led y pen ar agor, fel unben eneiniedig o'r Dwyrain, deil yn gydwybodol wylgar hyd a heibio'r diwedd. Ac o'i lwcowt (an)lwcus, mae'r WW hwn yn astudio'n galed fynd a dod eneidiau'r Groes-wen.

Dafydd William

[c.1720–1794]

Croes-y-parc Chapel graveyard, Peterston-super-Ely

Believing in your bowels that a shock-scourged man was hung as scapegoat on a tree, you called yourself the bird that fled the fowler's net to nest inside the dear Lamb's wounds. I came here on an autumn afternoon. From somewhere out of sight a blackbird sang.

Dafydd William

[c.1720–1794]

Mynwent Capel Croes-y-parc, Llanbedr-y-fro

Hosanna! Haleliwia! Mae'r rhyfeddol wawr wedi dod, a'r carcharorion i gyd allan. Hosanna! Haleliwia! Gobeithio bod anghrediniaeth wedi gadael llonydd i ti, a'th fod, emynydd y dyfroedd mawr a'r tonnau, wedi cael, yn afon angau, y cyfaill all ddal dy ben uwch y llif. Hosanna! Haleliwia!

Lynette Roberts

[1909–1995]

Holy Trinity churchyard, Llan-y-bri

If you should come this way . . . You typed my invitation seventy years ago. October rising; mist general; lanes already slick with ochre clay. Swallows' nests shore up the lychgate roof. Between 'Savage' and 'Zulma', your stone stands like a mis-shelved book.

Lynette Roberts

[1909–1995]

Mynwent Eglwys y Drindod Sanctaidd, Llan-y-bri

Yn rhywle, mae'r cerddi coll, y nofel goll, y dyddiaduron coll fel y meddyliau, yn disgwyl am rywbryd a rhywun i'w canfod eto. Am nawr, bodlonwn ar gael un garreg unig a thri gair moel i'n hatgoffa fod angen i rywun, rywbryd, fynd ati i chwilio.

Lynette
Roberts
POET
1909-1995

John Jones

[Talhaiarn, 1810–1869]

St Mary's churchyard, Llanfair Talhaearn

John Jones

[Talhaiarn, 1810–1869]

Mynwent Eglwys y Santes Fair, Llanfair Talhaearn

Ground down by gout, darkness running in the blood, he took the pocket pistol from its green baize case and put it to his head. The muzzle snarled. What flashed into his mind was Ferrières – the palace he and Mr Paxton raised for gilded Baron Rothschild, Paris on the hazed horizon to the west. His finger twitched. All those oval windows letting in the light.

O'r Harp i Lundain ac i Ffrainc archwiliaist adeiladau a stadau crand ac un palas crisial hyd yn oed. Ond adre'n ôl, yn dy stafell dan gronglwyd y dafarn, â llaw y cymalau clwyfedig, datodaist y cwlwm tynnaf dy hun. Yn bensaer y bont olaf, mae ywen mynwent y Santes Fair yn fwa gofalus uwch dy fedd.

ER COF
AM
JOHN JONES
(TALHAIARN)

Evan Evans

[Ieuan Glan Geirionydd, 1795–1855]

St Mary's churchyard, Trefriw

He'd droned the graveside gobbets of the Book of Common Prayer so many times that death plain lost its sting. And so this oval paling rubs the edge off fear . . . until, up close, you notice how the black, barbed iron breaks in crooked shadows on the stone.

Evan Evans

[Ieuan Glan Geirionydd, 1795–1855]

Mynwent Eglwys y Santes Fair, Trefriw

Fardd y fynwent, yma, lle mae byllt y dorau'n gadarn a lle mae sŵn y gloch yn ceisio'n ofer dy ddihuno fore Sul, mae cwestiynau fel ystlumod mud yn holi. Tybed beth yw hiraeth Cymro am ei wlad mewn bro estronawl? Tybed sut wledd yw gwledd Belsassar? Tybed ai dy Dad oedd wrth y llyw pan est ti mewn i'r porthladd tawel, clyd? Ac un cwestiwn olaf: tybed pa beth yn union yw'r adgyfodiad?

Glyn Jones

[1905–1995]

St Stephen's graveyard, Llansteffan

On a noticeboard, fast fading in a rain-steamed plastic sleeve, a record of the corpse-fed flora of the place: cocksfoot, Yorkshire fog, false oatgrass, fescue, meadowgrass. God's wild acre gone to seed. Heat is building, June sun striking off the whitewashed tower. Botanising on your body leaves me cold.

Glyn Jones

[1905–1995]

Mynwent Eglwys Sant Ystyffan, Llansteffan

Yng ngwely glas y ddaear gorffwysa, athro mwyn. Mae'r dyffryn, y ddinas a'r pentre' am dy adael yn rhydd i fynd i groesi'r dŵr. Yno, mae perllan yr afalau, lle nad oes rhyfel na thlodi. A'r lle y cei dithau adael i ddau dafod y ddraig a fu'n rhuo'n daer o'th mewn ddod o hyd i eiriau yng ngenau dy ddisgyblion.

Howell Elfet Lewis

[Elfed, 1860–1953]

Blaen-y-coed Chapel graveyard,
Blaen-y-coed, Cynwyl Elfed

Theologies of distance! In the background, God as blurred suggestion – there, four-square, but dampened, dulled. Middle-ground: the harvest of a trinity of blooms! Then foreground: graphic, raw, the 3-D dogma of the cross.

Howell Elfet Lewis

[Elfed, 1860–1953]

Mynwent Capel Blaen-y-coed,
Blaen-y-coed, Cynwyl Elfed

Trwy'r yrfa faith i gyd, yr un fu'r llwybr – o'r Gangell ac i'r Gangell – a phob man ar hyd y daith yn arwain at yr un man. Trwy'r tywyllwch, gwelaist y golau. Gwrandewaist ar dy bobl araf yn dysgu'r anthem. Cyrhaeddaist drothwy'r drws, heb roi fyny.

Saunders Lewis

[1893–1985]

Penarth cemetery

In the teeth of the east winds, ripping through that line of pines: Holy Mary, Mother of God, pray for us.

From the trampling of this vineyard by the beasts: Sanctaidd Fair, Fam Duw, deliver us.

Because we laud each morning as Ascension Day: Sancta Maria, Mater Dei, bless us.

For having fought fire with fire: Holy Mary, Mother of God, forgive us.

Saunders Lewis

[1893–1985]

Mynwent Penarth

Mae'r gwynt sy'n oeri'r garreg mor fain â'r llais fu'n cynnau'r tân.

YMA Y GORWEDD
SAUNDERS LEWIS
1893-1985
MARGARET LEWIS
Née GILCRIEST
1891-1984
Santaidd Fair Fam Duw
Gweddia drosom

Ann Griffiths

[1776–1805]

St Michael's churchyard,
Llanfihangel-yng-Ngwynfa

What did I expect? The holy fauna of your hymns – Rose of Sharon, lines of myrtle with a Christ-shaped space between, the whole field fragrant, balmed? I should have known. I came here on a stinking day – glacial wind, sky all steel, ground locked in rigor mortis. The yews have fused into a gothic arch above the path. That squat flushed phallus of a monument isn't you.

Ann Griffiths

[1776–1805]

Mynwent Eglwys Sant Mihangel,
Llanfihangel-yng-Ngwynfa

Yn lân, lân, rhoist mewn leiniau inni stori dy dristáu, rhoi mewn geiriau'r dagrau du, rhoi cur mewn llythyr caru, a hanes colli'r hunan i Iesu Grist yn groes gra'n. Rhoist d'adenydd a miri'r ffair am air ffydd. Ann, mi rown innau f'adenydd, rhown i'r ffair i rannu'r ffydd, a gwn y carwn ganu i Dduw am gael gwyn o ddu. Ond heb ddeall, ni allaf ... ni rannaf dy gyfrinach, ni welir fi yn Nolwar Fach.

Edward Williams

[Iolo Morganwg, 1747–1826]

Inside St Michael's Church, Flemingston

What would you make of this? – your patch priced out of sight, mock-Tudor mansions with brushed-steel touchpad gates, fast cars and night-lit pools, blue as politics. Forger, all's forgiven. Invent the place again – a little closer, please, to your imagined commonwealth.

Edward Williams

[Iolo Morganwg, 1747–1826]

O fewn Eglwys Sant Mihangel, Trefflemin

Drwy dy ddychymyg di, fe'n lluniaist ni o'r newydd. Rhoddaist sglein ar ein gorffennol, ychydig o liw ar ein traddodiad, a gwisgaist ein hetifeddiaeth yn ei dillad seremoni. Pe byddet ti wedi naddu dy garreg fedd dy hunan, bensaer y meini, fentra' i mai pedwar gair dy gri fyddai arni: Duw a phob daioni!

Edward Hughes

[Y Dryw / The Wren, 1772–1850]

St Stephen's churchyard, Bodfari

You grew safely old here, Rector – that Arcadian view to steady you. But you never laid the ghosts of Walcheren. Late July, '09; you landed in a navy chaplain's dusk-blue uniform, ready for a quick campaign. Then the marsh mosquitoes rose; the fever took; and jolly tars and troopers, drummer boys and brigadiers fell like flies. You read them Psalms, cold comfort as they shook and burned. The panorama shrinks from far horizon to the bodies at our feet.

Edward Hughes

[Y Dryw, 1772–1850]

Mynwent Eglwys Sant Steffan, Bodfari

Dan awyr lwyd, nid oes sôn amdanat heddiw. Hwyliodd y llong heb ei chaplan, ac aeth y frwydr yn ei blaen. Mae'r tlawd eto'n dlawd, a'r cyfoethog eto'n casglu i'w hysguboriau a heibio i drothwy digon. Ddryw bach, breswylydd yr ogof, tyrd i weld, mae'r fainc yn aros a diwrnod barn wedi bod.

Robert Davies

[Bardd Nantglyn, 1769–1835]

St James's churchyard, Nantglyn

And so Apocalypse begins: the boneyard bucking like the sea, neighbours' tombs already listing in the rousing easterlies, your plinthstones rupturing like bergs, Armageddon's faultlines crackling through the yews. Beyond, end-days obstetrics: early risers hauling sleepers from the soil. Get your pen out, Robert boy: this justifies an ode!

Robert Davies

[Bardd Nantglyn, 1769–1835]

Mynwent Eglwys Sant Iago, Nantglyn

Ai bysedd teiliwr fu'n gwnïo'n igam-ogam glytwaith mynwent Nantglyn? Ai nhw'n fu'n pwytho'r dail rhedyn yn addurn ac yn torri dolenni'r tshaen o'r defnydd haearn trwm? Ai bysedd y bardd fu'n odli'r meini? Ai bysedd beirniad fu'n eu tynnu ar led? Ac ai bysedd y gramadegydd a geisiodd osod y cyfan yn drefnus ac yn ddestlus yn ei ôl, cyn i fysedd amser ddadwneud y cwbl drachefn?

ROBERT DAVIES
NANTGLYN

Eliseus Williams

[Eifion Wyn, 1867–1926]

Chwliog cemetery

This is what admirers do – wait till the dead bed down, and then, because a chairman knows a foreman at a local quarry with a lump of granite going spare, erect an eyesore. I'd have you rise each night, a spook iconoclast, to lean against the rock, and push.

Eliseus Williams

[Eifion Wyn, 1867–1926]

Mynwent Chwliog

Fel uwch drws dy dŷ annedd yn 28 Heol Newydd, Porthmadog, mae llygad yr haul yn gwylio dros orffwysfa dawel dy fedd. Daeth y garreg o Gwm Pennant, a hyd heddiw dim ond yr Arglwydd a ŵyr pam ei fod yn gwm mor dlws. Gobeithio nad yw'n garreg ddigon mawr i fyddaru crawc a chwibanogl a bref nac yn ddigon trwm i atal awen y delyneg ysgafn esgyn uwch y maes a'r môr.

KATHLEEN MARY JONES

Bishop William Morgan

[1544/5–1604]

Inside St Asaph Cathedral

Welsh mid-winter. Outside, the parish hostile; Catherine gone to bed before you, curtains closed against the cold. You wrestle with the Hebrew of Isaiah, juggle Welsh alternatives for *grasshopper* and *gazelle*. She stirs. You could translate yourself to bed, re-learn the hornbook of her flesh. Instead you light a candle, pondering a word for *briar*, which term to pick for *thorn*.

Esgob William Morgan

[1544/5–1604]

O fewn Cadeirlan Llanelwy

Ac yn y gadeirlan leiaf hon, gorwedd y mwyaf. Wyt saer cof ein cystrawennau, wyt osodwr ein meddyliau, a hyd heddiw, dy batrymau di sy'n rhagfynegi ôl ein camau yn y glyn. Mae'r llechen gadarn fel ford, ac os arlwywyd hi yng ngŵydd dy wrthwynebwyr, fe'th gysurwyd gan wialen a ffon dy Fugail Da.

William Edwards

[Gwilym Gallestr / Bardd Ysgeifiog,

1790–1855]

St Mary's churchyard, Ysgeifiog

Sick of standard headstones, Bill the Flint announced he'd cut his own a little differently. Even Squire'd covet it. I'll start tonight, he said, one heavy evening down the Fox, white dust rattling in his lungs. It stood a decade in his workshop, the last two digits left for someone else to score.

William Edwards

[Gwilym Gallestr / Bardd Ysgeifiog,

1790–1855]

Mynwent Eglwys y Santes Fair, Ysgeifiog

Wil Ysgeifiog, cefaist garreg fedd diolch i'r caredigion Talhaiarn a Chaledfryn, ond o gallestr, carreg galed sir dy eni, y naddwyd dy awen di. Dihengaist o Ddinbych i'r gell well yn y tir oer, lle mae awen yr englynwr a'i gwreichion bach yn cynnau tân digon mawr i doddi'r galon greulonaf a chynhesu'r dafarn wlypaf.

ER COF
am
William Edwards
"Gwilym Gallestr" neu "Fardd Ysgeifiog"
yr hwn
A anwyd _ 1790
ac
A fu farw _ 1855
OC
Gosodwyd y Maen Hwn
gan
Edmygwyr ei Awen Barod
Cofia, ddyn, wrth fyned heibio,
Fel 'rwyt Ti, bûm Innau'n rhodio;
Fel 'rwyf Finnau Tithau ddeui

Sarah Jane Rees

[Cranogwen, 1839–1916]

St Carannog's churchyard, Llangrannog

Here, where the coasters beached their loads of culm, you taught two generations how to navigate. A sextant would have been more fitting than that Attic urn. You were their dark Polaris: from Frisco to Archangel, captains drank your health in bars. Master mariner, your savvy launched them young, helped bring them soused and sunburnt home.

Sarah Jane Rees

[Cranogwen, 1839–1916]

Mynwent Eglwys Sant Carannog, Llangrannog

Yn y llun, dim ond esgus pwyso ar gwpwrdd addurn a wnei. Ni all y llathenni crinolin crimp guddio cadernid dy gorff. Ac yn yr un modd, mor gadarn y sefi ar falconi'r fynwent, yn morio'r rhedyn a'r drysi, yn gapten ar y meirw islaw. Yng ngwaelodion y pentref, mae'r môr yn galw'n ofer ar ei storm, canys ni all y daran dduaf na'r fellten wynnaf ysgwyd dim arnat ti. Gymraes annwyl, tybed ai haws llunio cerdd i fodrwy briodas na'i gwisgo?

U.D.
M.D.
Er Cof Annwyl
am
SARAH REES
(GRANOGWEN)
MERCH JOHN A FRANCES REES

E. Llwyd Williams

[Llwyd, 1906–1960]

Rhydwilym Chapel graveyard, Rhydwilym

Lichen's colonised the stone – compound lives in delicate accord, grey dapplers of the dead. On the spotted dolerite they etch their epitaphs in small baroque, a clean-air script that one day soon will stipple both the partner's and the daughter's slates.

E. Llwyd Williams

[Llwyd, 1906–1960]

Mynwent Capel Rhydwilym, Rhydwilym

Wedi casglu'r clychau glas, wedi'r crwydro trwy'r rhedyn lliwgar, wedi'r hela yn y tir sanctaidd, clywaist Gleddau Ddu yn holi'r pwnc ac atebaist. Gwyddost ers blynyddoedd na allai gweddïau osgoi'r dynged, a dilynaist yr afon, o goed y ffin i lygad y ffynnon.

Also the above
Thomas Thomas
Hedd Perffaith Hedd
LLWYD
1906-1960
Ei briod
EILUNED
1911-2002
Ei ferch
NEST

David Thomas

[Dafydd Ddu Eryri, 1759–1822]

St Michael's churchyard, Llanrug

How languid was the fatal fall that night, your blind foot slipping from the river rock? Slow enough to recollect the latest line, before your skull hit unpoetic stone? Were you still revising as water shocked the lungs? You were face down when they found you, the gargled poem miles and miles downstream.

David Thomas

[Dafydd Ddu Eryri, 1759–1822]

Mynwent Eglwys Sant Mihangel, Llanrug

Dafydd Ddu Eryri. Disgybl ysgol am wyth mis, athro ysgol mewn naw lle. Mor gymhleth gain oedd gwead dy fywyd. Oet wennol rhwng Llundain a Lerpwl a'r Gogledd, a llatai ein llenyddiaeth; dygaist gyfrolau i'w gwerthu, cesglaist waith i'w gyhoeddi, dysgaist ddarllenwyr i'w caru, cyn i afon Cegin dy ddal yn ei llif a golchi'r llechen yn lân.

Thomas Evan Nicholas

[Niclas y Glais, 1879–1971]

Preseli hills, above Llanfyrnach

A far cry, these big skies, from Brixton's prison cell. He wrote on toilet tissue, imprisoning himself in sonnets till an eye appeared at the peephole and *lights out* was called. No wonder he was scattered here: a coffin's just another clink.

Thomas Evan Nicholas

[Niclas y Glais, 1879–1971]

Bryniau'r Preseli, uwch Llanfyrnach

Mor gryno â neges telegraff, saethodd dy sonedau drwy lygad drysau'r carchar nes cyrraedd calon. Rhwygodd dy rythmau rhydd drwy'r celwydd caeth, drwy rethreg rhyfel, drwy stamp swastica a phlu ffals pob coron driphlyg. Ac os yw'r llety heno'n wag, mae'r groes yn dynodi'r fan: coetan gadarn, a'r gair mor blaen â hoel ar bost.

William Thomas

[Islwyn, 1832–1878]

Babell Chapel graveyard, Cwmfelin-fach, Mynyddislwyn

He looks out blackly from the cheap cartouche, the column feverish against the limewashed wall. A bird's been roosting here these past few nights. Below the stiff cravat, pallid droppings leach outside the frame. As if his heart has burst.

William Thomas

[Islwyn, 1832–1878]

Mynwent Capel Babell, Cwmfelin-fach, Mynyddislwyn

Calderón Cymru! Dywedaist unwaith mai 'breuddwyd yw bywyd, enaid yn dihuno' ac est ymlaen i ddweud mai 'daeargryn angau sy'n deffro dyn'. A thithau bellach, felly, yn gwbl effro ac yn syllu'n galed ar y byd, tybed a wyddost sut le sydd uwchlaw cymylau amser? Ydy'r dyrfa'n gwbl hapus? Ydy'r wermod yn fêl? Ydy'r caeth yn rhydd? Go iawn? Ac wyt ti'n siŵr nad oes neb, dim hyd yn oed un neu ddau fach yn rhyw gornel yn rhywle'n wylo'n brudd?

ISLWYN

Walter Davies

[Gwallter Mechain, 1761–1849]

St Dogfan's churchyard, Llanrhaeadr-ym-Mochnant

I might have offered odes or sermons, but with Boney's armies mustering, they asked me for reports on husbandry and tillage, crops and yields. I gave them two fat volumes, showed I knew my lias from my loam. *Wheat on clover ley; red lammas dressed with dung; sainfoin thriving, lucerne sown in drills.* Facts and fieldwork, but sweet songs, nonetheless.

Walter Davies

[Gwallter Mechain, 1761–1849]

Mynwent Eglwys Sant Dogfan, Llanrhaeadr-ym-Mochnant

Casglodd y dail ar dy wely carreg fel y cesglaist di, y cowper a drodd yn offeiriad, lyfrau a llawysgrifau dy Gymru annwyl. Ac os yw'r nos dywell wedi distewi, nid felly dy waith; mae hwnnw fel y lloer sy'n dal i ariannu'r lli, yn gloywi ein deall ni.

Albert Cynan Evans-Jones

[Cynan, 1895–1970]

St Tysilio's churchyard, Church Island, Menai Straits

We're delighted to be favoured with instructions to present three rare postmortem *pieds-à-terre* for sale. Freehold. Exclusive waterfront location. Stunning views. Generous in size at 8 by 4 by 6. Early viewing urged. Only sizeable archdruids need apply.

Albert Cynan Evans-Jones

[Cynan, 1895–1970]

Mynwent Llandysilio, Ynys Tysilio, Y Fenai

Daeth mab y bwthyn i'w ynys unig. Ymhell y tu hwnt i flodau ei ddyddiau mae'r ddawns yn parhau. Ac er nad oes yr un geiniog yn ei god, o'i fedd bachodd y sedd flaen, ac o dro i dro daw'r Fenai hael â sibrydion holl ruo sioe'r môr at ei ddor.

TIRIONAF COFION AM
NEL
1893-1962
ANNWYL BRIOD
Y PARCH. A.E. JONES (CYNAN
thelir pwyth i haelion.
ei haelder i hon."
HEFYD
CYNAN
1895-1970
BARDD A LLENOR.
EMYR AP CYNAN
MEDDYG ANNWYL

John Hughes

[Ceiriog, 1832–1887]

St Gwynnog's churchyard, Llanwnnog

Do poets make good stationmasters? Wrong question, friend. You should have asked: Do stationmasters make good poets? The metric clack of wheels on joints of steel became my poems' metronome. Timing's all. Pocket watch in one hand, green flag waving in the other, I made my pastorals in clouds of steam and blasts of air, the 3.10 thundering through.

John Hughes

[Ceiriog, 1832–1887]

Mynwent Eglwys Sant Gwynnog, Llanwnnog

Fab y mynydd, oddi cartref ym mynwent wastad Llanwnnog, yn dad i gannoedd o eiriau, yn daid i ugeiniau o nodau, pwy all wadu na cheraist gerdd yn angerddol? Â chlamp o golofn addurnedig yn dynodi'r fan, pwy all amau nad 'dyma dy lwch'; ond 'dim lol'? Beth ddywedai dy galon, tybed? A thra 'mod i'n holi, pwy oedd y 'ti'? Yr un a wyddai unwaith?

ER
GOF AM
JOHN CEIRIOG HUGHES,
A ANWYD MEDI 25
1832,
A FU FARW EBRILL 23
1887.

Thomas Edwards

[Twm o'r Nant, 1739–1810]

St Marcella's churchyard, Denbigh

Used to improvising chancy platforms – haycarts, benches, mounting blocks – his ghost would find the tomb-chest's top a perfect spirit-levelled stage for one last play. He'd call the Miser from the grave next door; the bricked vault to the right would yield the Fool. Convincingly, he'd play the part marked *Death* himself.

Thomas Edwards

[Twm o'r Nant, 1739–1810]

Mynwent Llanfarchell, Dinbych

Cariaist y coed olaf, neddaist y maen olaf, torraist y gair olaf a'i ergyd mor gadarn ag erioed. Mae'r dyledion wedi'u croesi mas. Ac mae arch eto yn Llanfarchell. Yr un man ydym ni i gyd yn y diwedd, Twm. Fwy neu lai. Ac os ydyn nhw tu fewn a thithau tu fas, y llwybr at dy garreg di yw'r un a dreuliwyd fwyaf.

Caradog Prichard

[1904–1980]

Coetmor cemetery, Bethesda

An image of his mother's splintered mind. Inside those crevices, a darkness only deepened by his lunar light. See faces in the fractured slate? The legend's crumbling. He joined her in the last asylum of the soil.

Caradog Prichard

[1904–1980]

Mynwent Coetmor, Bethesda

Yn y naddion chwal, mae chwedl pen cawr a'i wyneb at y pridd yn sibrwd ei stori. A blas yr un pridd ar dy dafod, lleferaist ein stori drist yn gyflym, yn bwyllog, a dysgaist dy law i'w chrafu hi'n ffyddlon ar ddalen yr etifeddiaeth. Fe'n harweiniaist ni i grombil y ddrysfa ac yn ôl i'w drws. Safwn eto ar y trothwy gan wybod yn awr mor denau yw'r ffin rhwng y tu mewn a'r tu allan.

Dilys Cadwaladr

[1902–79]

St Michael's churchyard, Llanrug

You lie a stone's throw from the angel's callous flesh. Her slow erosion begs the question: how long do suppler bodies bear this tart, acidic earth? Which perish faster, bones or bright brass fittings? She gives us nothing, those open palms and lifted wings a monumental shrug.

Dilys Cadwaladr

[1902–79]

Mynwent Eglwys Sant Mihangel, Llanrug

Haws dod o hyd i'th wên ar arwydd tafarn yn y Rhyl, na dod o hyd i'th weddillion yng nghornel dawel mynwent. A phwy a ŵyr nad felly y dymunet iddi fod. Efallai bod marw'n llwyr 'rôl byw mor llawn yn farw addas. Ond o'th gornel gudd, deil dy gyffyrddiad i gyrraedd dy holl gydnabod, a deil gafael dy gyfaredd.

David Owen

[Dewi Wyn o Eifion, 1784–1841]

St Cybi's churchyard, Llangybi

I was robbed. They wouldn't recognise a virtuoso poem if it bit them in the . . . Gave it to a priest whose nom-de-bloody-plume was 'Wren'. I ask you. Sulk, you say? Not a bit of it. I packed it in for twenty years in protest – played the ghost at every bardic feast. Oh, yes: the title set was . . . *Charity.*

David Owen

[Dewi Wyn o Eifion, 1784–1841]

Mynwent Eglwys Sant Cybi, Llangybi

Yn ei huchel gaer, dan ei chadwyni ei hun, mae cloch eglwys Llangybi'n rhydd i ganu. Geilw'r meirw o'u cwsg mud, ac mae'r byd yn gyrru heibio heb sylwi dim. Gobeithio bod y mwswgl a'r glaswellt wedi esmwytho siom colli cadair Dinbych. Mae elusengarwch yn air mwy nag awdl. Yn sicr yn fwy na cham.

James Kitchener Davies

[1902–52]

Llethr Ddu cemetery, Trealaw, Rhondda

You lived opposite – looked out candidly each morning at this tiered slope. In your garden plot you fought the cancer of convulvulus that choked your rosebeds, trussed your trellises of beans. The graveyard's pitch looked keener as your tumour took.

James Kitchener Davies

[1902–52]

Mynwent Llethr Ddu, Trealaw, Rhondda

Yng Nghors Caron yr un sŵn sy' ar y gwynt. Chwyth eto ei gân tua'r Dwyrain. Ac mae carreg Llwynpiod yn ateb carreg Llethr Ddu, a'r alaw dyner, daer yn dal ar anadl pob awel, pob storm. Oddi tanat mae'r morgrug yn brysur ar lwyfan eu drama fawr. Gwêl iaith Cwm y Glo, clyw ei henw mewn calonnau, a breuddwydia'r olygfa nesa i ni.

Thomas Evans

[Telynog, 1840–1865]

Aberdare cemetery

Mad bacteria laid your young lungs bare. You were printed by subscription – colliers, tailors, overmen and grocers in a valleys' roster at the back, penny sponsors of your afterlife. Among them, logged as 'striker, Pontypridd', one 'Lazarus Lewis'. A pundit on the less-than-sweet hereafter?

Thomas Evans

[Telynog, 1840–1865]

Mynwent Aberdâr

Yn ufudd wasanaethydd aeth Dafydd Morganwg ati i gasglu dy gerddi ynghyd. Roedd cymaint o fynd ar dy waith nes mentro cyhoeddi llyfr 'mwy gorphenol nag y cyhoeddir llyfrau Cymraeg yn gyffredin', ag ymyl pob tudalen wedi ei oreuro . . . 'fel y caffo mam oedrannus y bardd ieuanc ymadawedig ychydig at ei chynhaliaeth oddi wrth lafur ei mab'. Cynllun pensiwn anarferol yn waddol wedi ergyd colled y pedwar ugain oed. Bywyd byr. Galar hir.

WILLIAM JAMES CARRETT
At Rest
SYLVIA EVELYN CARRETT

Harri Webb

[1920–1994]

St Mary's churchyard, Pennard

You sang a Welsh republic – and found it, if only in the classless nation of this ground. But the toll's extortionate. The very soul is frisked; there's no return. The only flagpoles are those naked trees, the banner's colourless. And yet this rotting borough has a fine *esprit de corps*.

Harri Webb

[1920–1994]

Mynwent Eglwys y Santes Fair, Pennard

Os yw iaith yn gallu troi yn ôl o borth marwolaeth, nid felly ei siaradwyr. Tawodd y tafod, er i'w eiriau barhau i wneud sŵn, ac yn eu sŵn barhau i'n hannog ni i chwilio am yr hyn a gollwyd. Chwilio ymhob man, hyd yn oed dan ddŵr llyn.

In Loving Memory of
ELIZABETH MARY GRONOW
WIFE OF DAVID
AGED 51 YEARS.
ALSO
DAVID GRONOW
AGED 78 YEARS.
IN LOVING MEMORY OF
LUCY WEBB (IRENE.)
DIED SEPT. 21ST 1939.
ALSO
WILLIAM JOHN WEBB
DIED JUNE 18TH 1956
AND THEIR SON
HARRI WEBB
1920 – 1994

Euros Bowen

[1904–88]

Wrexham cemetery

Imagine it without the monuments and headstones. Let the figure be the panicked Adam, newly mortified and clothed, hurrying to a rendezvous with Eve beyond the beech that slurs its leaves across the thickening air. He breaks into a run. God's gaining on him. Admit the graves.

Euros Bowen

[1904–88]

Mynwent Wrecsam

Ym meddwl yr offeiriad, delweddu beth a wnâi'r tair croes a'r dail crin? Sut fyddai'n dangos inni'r ffordd i agor trysorfa natur a chael y golau llachar all egluro tywyllwch y llun? Ac a allasai llinell mor hir ag ugeined hyd yn oed fachu rhyw ystyr heb i'r pysgotwr droi'n broffwyd?

Index of Poets

Mynegai i'r Beirdd

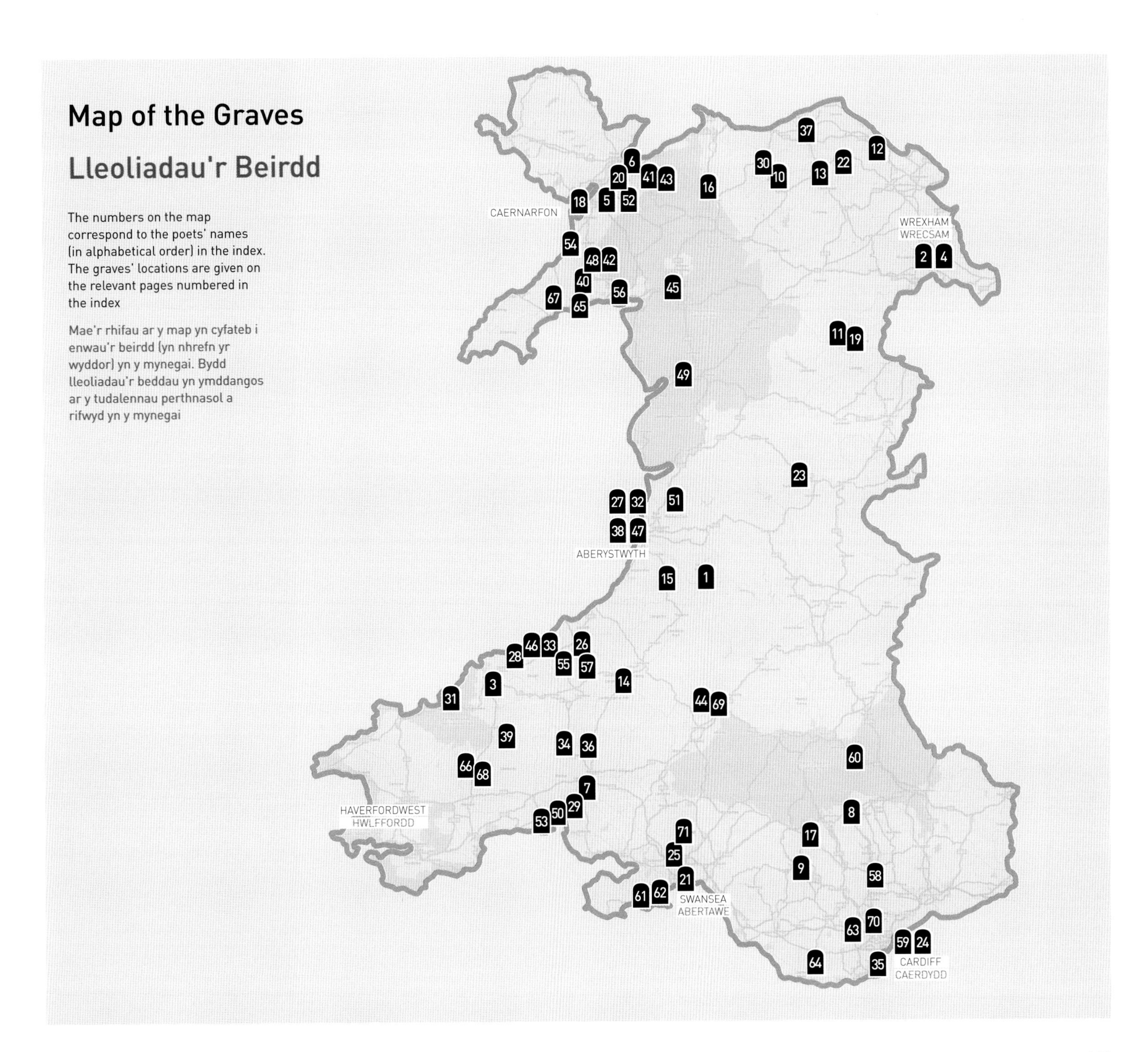
Map of the Graves
Lleoliadau'r Beirdd
The numbers on the map correspond to the poets' names (in alphabetical order) in the index. The graves' locations are given on the relevant pages numbered in the index
Mae'r rhifau ar y map yn cyfateb i enwau'r beirdd (yn nhrefn yr wyddor) yn y mynegai. Bydd lleoliadau'r beddau yn ymddangos ar y tudalennau perthnasol a rifwyd yn y mynegai
CAERNARFON
WREXHAM
WRECSAM
ABERYSTWYTH
HAVERFORDWEST
HWLFFORDD
SWANSEA
ABERTAWE
CARDIFF
CAERDYDD

Biographies

Bywgraffiadau

Paul White has lived in the Tregaron area since 1983 when his parents moved to mid-Wales from Leicestershire. He was immediately drawn to the landscape of the Cambrian Mountains and has spent the last twenty years recording the ruined farms and mansions of Wales. He works solely in black and white, using a Japanese-made 'Wista' large-format field camera and traditional photographic methods. He has exhibited widely throughout Wales and his work is held in public and private collections around the world.

Er 1983, pan symudodd ei rieni o Swydd Gaerlŷr i ganolbarth Cymru, y mae **Paul White** wedi byw yn ardal Tregaron. Gwnaeth tirlun Mynyddoedd Cambria argraff ddofn arno o'r cychwyn, ac y mae wedi treulio'r ugain mlynedd ddiwethaf yn cofnodi adfeilion ffermydd a phlastai Cymru. Y mae'n gweithio'n gyfan gwbl mewn du a gwyn, gan ddefnyddio camera maes 'Wista' a dulliau ffotograffig traddodiadol. Y mae wedi arddangos yn helaeth drwy Gymru, a chynrychiolir ei waith mewn casgliadau preifat a chyhoeddus.

Damian Walford Davies is Professor of English at Cardiff University. His most recent book is *Cartographies of Culture: New Geographies of Welsh Writing in English* (2012). He is the author of four collections of poetry: *Whiteout* (2006), *Suit of Lights* (2009), *Witch* (2012), and the forthcoming *Judas* (2015). In 2012 he collaborated with Paul White and Siân Melangell Dafydd on another word-and-image project published by Gomer – *Ancestral Houses: The Lost Mansions of Wales*. Both his academic work and creative writing are characterised by an interest in geography and the exchange between poetry, the visual arts and architecture.

Mae **Damian Walford Davies** yn Athro Saesneg ym Mhrifysgol Caerdydd. Ei lyfr diweddaraf yw *Cartographies of Culture: New Geographies of Welsh Writing in English* (2012). Y mae'n awdur ar bedwar casgliad o farddoniaeth: *Whiteout* (2006), *Suit of Lights* (2009), *Witch* (2012), a *Judas*, a gaiff ei gyhoeddi yn 2015. Yn 2012, cydweithiodd â Paul White a Siân Melangell Dafydd ar brosiect gair-a-delwedd arall a gyhoeddwyd gan Gomer: *Tai Mawr a Mieri: Plastai Coll Cymru*. Y mae ei ddiddordeb mewn daearyddiaeth, ynghyd â'r ddialog rhwng barddoniaeth, y celfyddydau gweledol a phensaernïaeth, yn amlwg yn ei waith academaidd a chreadigol fel ei gilydd.

Mererid Hopwood lives in Carmarthen. After studying in Aberystwyth, Salamanca, Freiburg and London, she lectured in the German Department at Swansea University before joining the Mid- and West-Wales office of the Welsh Arts Council. She returned to teach part-time at Swansea and qualified as a Secondary School teacher of Modern Languages. She is now Senior Lecturer at The University of Wales Trinity Saint David. She has won the Chair, Crown and Prose Medal at the National Eisteddfod.

Y mae **Mererid Hopwood** yn byw yng Nghaerfyrddin. Ar ôl astudio yn Aberystwyth, Salamanca, Freiburg a Llundain bu'n darlithio yn yr Adran Almaeneg ym Mhrifysgol Abertawe cyn ymuno â Chyngor Celfyddydau Cymru yn swyddfa'r Canolbarth a'r Gorllewin. Dychwelodd i fyd addysg, yn rhan amser i Brifysgol Abertawe, a chael cyfle i gymhwyso fel athrawes Ieithoedd Modern Ysgol Uwchradd. Erbyn hyn y mae hi'n Uwch Ddarlithydd ym Mhrifysgol Cymru Y Drindod Dewi Sant. Mae wedi ennill Cadair, Coron a Medal Ryddiaith yr Eisteddfod Genedlaethol.